Thomas en Taleesa

Het verhaal van je leven

Voor opa Roep, die deze geschiedenis startte toen hij twintig jaar geleden zijn koffiepunten inruilde en mij een sprookjesboek gaf.

Maar ik draag 'Het verhaal van je leven' ook op aan mijn oma – 'Amsterdam' – Wiarda, die mij zo vrolijk schunnige liedjes leerde.

En aan mijn oudoom Frans, die het jaar voor zijn dood nog informatie gaf over vroeger; over de spellen die hij speelde en de verkering die hij kreeg…

www.leopold.nl

Nanda Roep

Thomas en Taleesa

Het verhaal van je leven

Leopold / Amsterdam

Omslagtekening en illustraties Charlotte Dematons
Omslagontwerp Marjo Starink
NUR 283 / ISBN 90 258 4222 4

Kijk ook op www.nandaroep.nl

Inhoud

1 *Arme Thomas moet een rimpelig stofnest kussen*

Dit verhaal gaat over kijken. Over kijken en zien. Het gaat ook over groot worden. En over groeien. Het gaat over pesten en verkering, over snoepen en overleven. Zelfwaardering en vertrouwen. Over verhalen vertellen, luisteren en horen. Ja, zelfs over stelen en onderduiken. Maar vooral gaat het over die arme Thomas Misha uit Bromberg.

Vol afgrijzen kijkt hij in de spiegel: moet hij zó over straat?

In zijn haren heeft zijn moeder een scheiding gekamd, rechts van het midden. Zo'n scheiding die je ziet in zwartwitfilms van vroeger, zo eentje waarbij je een brede streep witte hoofdhuid ziet. Niet een vlotte, rommelige scheiding waarvan je haren *cool* over je voorhoofd vallen, maar een ouderwetse sukkelscheiding met sprieten haar langs je oren.

In zijn smetteloze broek zit een vouw. Mama's gezicht liep zowat rood aan toen ze het strijkijzer op de stof perste om de vouw zo scherp te krijgen. Niet alleen als hij staat, maar zelfs als hij buigt of zit, staan de randjes van de vouw overeind. Het is een ouwelullen-broek. En Thomas moet hem aan.

Op die broek draagt hij zijn overhemd: een witte blouse waarvan de stof zo stijf is, dat hij amper zijn armen kan buigen. Het bovenste knoopje moest per se dicht, omdat het volgens mama anders slordig staat. Dus krijgt hij nu nauwelijks lucht. Moedeloos laat Thomas zijn schouders zakken.

In de badkamer doet mama groene oogschaduw op. Papa staat zich te scheren. Ze sprenkelen met zoveel eau de cologne, dat Thomas ervan moet niezen. 'Over een paar minuutjes gaan we,' zeggen ze.

Hij kijkt naar zijn computer. 'Speel mij!' lijkt *Danger Living part III* te wenken. Hij is al bij het vierde *level*, waar de zombies je achterna komen.

'Ik mag niet,' fluistert Thomas. 'Ik moet naar oma.' Zelfs de *game à gogo* die hij voor zijn verjaardag kreeg kan niet mee, want die past niet in de zakken van deze vreselijke broek. Ook de tekening die hij voor Taleesa maakt, moet wachten en zijn voetbalschoenen liggen doelloos in de hoek.

Thomas zucht. Iedere zondag hetzelfde verhaal: mama hijst hem in afschuwelijke stijve kleren die kriebelen en prikken. Terwijl kinderen uit de klas voetballen op het veldje voor de deur, moet hij droge koekjes eten en slappe limonade drinken.

'Speciaal voor jou gekocht,' zegt oma, maar Thomas lust eigenlijk alleen cola met chips – ook al zegt mama dat dat onzin is.

Wanneer oma haar dunne lippen tuit, glinstert het speeksel hem tegemoet. Als ze hem kust, trekt ze Thomas' wang zowat vacuüm zoals je een leeg colaflesje vacuüm kan zuigen: als je je lippen eromheen legt en dan zuigt, blijft het flesje aan je mond bungelen. Zo kust oma hem. Maar dan met kwijl. Nog lang na de zoen plakt een rode vlek tegen zijn gezicht. Andersom drukt ze hém tegen háár wang, alsof zij een wespensteek is die hij moet uitzuigen. Vreselijk, die kus.

Haar wangen zijn zo gerimpeld, dat je er kleine dingetjes in zou kunnen verstoppen. Een katjesdropje, bijvoorbeeld, zou je niet gemakkelijk terugvinden in oma's rimpels. Haar rimpels zijn nog dieper dan die van een hond. Thomas hoopt altijd maar dat ze niet alleen haar gezicht, maar ook de binnenkant van haar rimpels wast. Hij moet er niet aan denken wat een plakkerig stofnest oma's gezicht misschien is.

Helaas is haar huid niet even stevig als die van een hond, maar dun als een stoffen zakdoek (die je al een paar keer hebt gebruikt). Het voelt alsof zijn neus dwars door haar huid heen haar bedompte, tandeloze mond binnengaat als hij haar kust.

Ooo, hij wil niet, hij wil niet!

'We gaan,' zegt papa.

'Nee!' gilt Thomas.

'Pardon?' vraagt mama.

Geschrokken kijkt Thomas zijn ouders aan. Hij moet oppassen – voor hij het weet, heeft-ie weer een middag huisarrest te pakken. Hij slaat zijn ogen neer.

'Dat dacht ik ook,' zegt zijn vader.

Mama trekt een streng gezicht. 'Oma is altijd blij je te zien, dus één keer per week mag je wel een bezoekje brengen.'

'Maar...' fluistert Thomas, 'wat heb ík eraan?'

'Daar gaat het niet om,' zegt zijn moeder. Ze trekt haar nette lange jas aan.

Papa opent de deur. 'Hup, de auto in.'

Net als hij naar buiten wil stappen, ziet Thomas haar staan. Taleesa. Ze staat op het voetbalveld! Dat de jongens hem iedere zondag zien in deze vreselijke uitdossing, is tot daaraan toe. Ze roepen hem na en maken ook op school opmerkingen. 'Tijd voor je dutje, ouwe,' sissen ze bijvoorbeeld. Marwin is het ergst. Die trekt zelfs aan Thomas' haren om de scheiding na te doen.

Maar Taleesa... heeft hem zo nog nooit gezien! En ze mág hem zo ook niet zien! Wat moet hij doen?!

Als zijn moeder de deur uitstapt, grijpt hij haar mouw. 'Ik moet even...' stottert hij, en hij kruipt weg achter haar jas. Niemand hoeft hem te zien, zo, achter haar rug.

'Wat doe je?' vraagt mama giechelend. Maar Thomas kan er niet om lachen. Dit is bittere ernst. Als Taleesa hem nu ziet, gaat hij namelijk dood.

'Maar lieverd!' kirt mevrouw Misha luid.

Thomas draait met zijn ogen. Mama begrijpt niets van zijn 'vlucht'. Ze roept en lacht zo hard dat de jongens op het veldje het zeker horen. Taleesa vast ook. Hij durft niet te kijken en maakt zich nog wat smaller, maar zij schreeuwt door de straat: 'Je kietelt, hihi!'

Zo'n erge nachtmerrie heeft Thomas nooit gehad.

Papa staat erom te lachen.

Mama draait zich om en begint nu aan hém te plukken. 'Ik pak je terug!' Ze lacht. Haar rode nagels schuren langs zijn oksels.

'Nee!' gilt Thomas. Hij duwt tegen mama's schouders in een poging haar terug te draaien, gewoon, met haar rug naar hem toe.

'Au!' roept ze. 'Mijn arm!' Ze laat Thomas los.

'Net goed!' schreeuwt Thomas. Hij wil de auto in vluchten en zich onder de achterbank verstoppen, maar papa grijpt hem in zijn nek.

'Zo doe je niet tegen je moeder,' zegt hij. 'Bied je excuses aan.'

De jongens op het veld beginnen te lachen. Taleesa kijkt verbaasd op. Was hij nu maar dood...

'Dag jongen, wat fijn je te zien,' zegt oma. Haar stem kraakt als de schreeuw van een raaf: Krááá. Kloddertjes kwijl glijden via haar mondhoeken naar haar gerimpelde kin. Als ze een koekje eet, blijven er altijd kruimeltjes achter op haar wangen. Die blijven de hele middag kleven omdat oma ze zelf niet wegveegt en niemand er iets van zegt.

'Hoi,' mompelt Thomas. Hij is nog altijd pissig. Om zijn kleren en op mama.

'Krijg ik geen kus?'

'Nee.'

'Echt niet?' Oma kijkt treurig.

'Natuurlijk wel, mama,' zegt papa. Hij duwt Thomas naar voren.

2 *Het advies van meester Wilbert*

'Hou hem vast,' zegt Marwin.

Thomas kan trappelen en schreeuwen wat hij wil, maar Aram en Ray laten hem niet gaan. Marwin loopt op hem toe. 'Even kijken... hoe moest het ook alweer?'

In zijn linkerhand heeft hij een enorme pot gel, waar hij met zijn rechterhand diep in grijpt. 'Hier een kloddertje,' zegt hij. 'En hier. En hier. Ooo, wat ben je móói!'

'Klootzak!' roept Thomas, zijn stem slaat over.

'Laat hem los,' zegt Marwin dan.

Dat doen Aram en Ray, en Thomas valt op de grond. De jongens lopen schaterlachend weg.

Daar zit hij... Met dikke klodders kleverige gel op zijn hoofd, die onderhand over zijn wangen beginnen te druipen. Het lijkt alsof een zombie uit level vijf op zijn kop heeft gekotst.

'Fuck,' zucht hij. Hij krabbelt overeind en wandelt naar de wc's.

'Hier ben je!' zegt meester Wilbert. 'Waarom ben je niet bij de les?'

Thomas haalt zijn schouders op. Hij is eerst tegen de muur van de wc's gaan staan en heeft zich daarna op de grond laten zakken. Wat ontbreekt zijn een fles sterke drank, vieze kleren en een stoppelbaard. Hij zit erbij als een zwerver, zo ongelukkig is hij.

'Ik heb de anderen een opstel laten schrijven zodat ik tijd had om jou te zoeken.'

Thomas haalt een verfrommeld papiertje uit zijn zak en geeft het de meester. Die vouwt het open en leest in krabbelig handschrift:

Lekkere gladde, glimmende haartjes voor jou, Misha!

Het lag op zijn stoel toen Thomas vanmorgen de klas in kwam. Overal kunnen ze liggen, de briefjes: in zijn tas, op zijn tafeltje, maar ook in zijn jas. Thomas heeft zelfs wel eens zo'n bericht uit zijn broekzak gehaald! Aram en Ray doen die erin voor Marwin, maar Thomas heeft het ze nooit zien doen. Kennelijk staat hij vaak zo te dromen dat ze rustig hun gang kunnen gaan, of misschien gebruiken ze hun pauzes ervoor. Tijdens gym hangt zijn broek natuurlijk in de kleedkamer, dan kunnen ze er gemakkelijk bij, en de jassen moeten aan de kapstok. Ach, wat maakt het ook uit.

Meester Wilbert kijkt hem vragend aan. 'Lekkere gladde haren? Lekkere klodders, bedoel je!' De meester hurkt en wrijft over Thomas' hoofd. 'Ik herken het handschrift van Marwin uit duizenden.' Hij staat op om zijn handen af te spoelen. 'Waarom doet hij dit, Thomas?'

Thomas haalt zijn schouders op.

'Dat weet je toch wel?'

'Om een scheiding te maken,' zegt Thomas.

'Een scheiding? In je haren?'

'Dat heb ik elke zondag. Als we naar oma gaan.'

'Vindt oma dat mooi?'

'Mama zegt van wel.'

'Vreemd...'

'Ik krijg een vouw in mijn broek.'

'Brrr.'

‘En mijn overhemd moet tot het bovenste knoopje dicht.’

‘Benauwd, hoor.’

Meester Wilbert is altijd aardig, het liefst zou Thomas in zijn armen kruipen en eens flink uithuilen. Dat doet hij niet, hij durft het niet. Hij bijt op zijn lip, maar toch rolt er een kleine traan over zijn wang.

‘Oma stinkt. Iedereen lacht me uit.’

Meester Wilbert kijkt Thomas langdurig aan. Hij krabbelt over zijn kin en fronst zijn wenkbrauwen. ‘Mmm,’ doet hij. Hij sluit zijn ogen totdat hij Thomas alleen nog door het kiertje tussen zijn wimpers ziet.

‘...En je oma?’ vraagt hij dan.

‘Oma geeft vieze, natte zoenen. Ze zit onder de rimpels en daar zit schimmel tussen. Ik weet het zeker, ik kan het ruiken.’

Meester Wilbert lacht. ‘Dat is ook niet aardig!’

‘Het is echt zo!’ Toch glimlacht Thomas alweer.

Meester Wilbert laat zich ook op de grond zakken. Hij propt zijn lichaam tussen de wc-deur en de muur, waardoor zijn schouders stevig tegen die van Thomas worden gedrukt.

‘Je vergeet één ding,’ zegt meester Wilbert.

‘O?’

‘Jouw oma is oud. Hoe oud?’

‘Vijfentachtig. Ze was al vrij oud toen mijn moeder werd geboren, en die heeft lang gewacht voor ze mij kreeg.’

‘Zo! Je mag hopen dat jij ooit zo oud wordt! Natúúrlijk heeft jouw oma rimpels. Waarschijnlijk ruikt ze zelfs niet meer zo fris als een pasgeboren baby, hoewel ik het jammer vind dat je het “stinken” noemt. Wat is jouw lievelingsbroek?’

‘Wat heeft dat ermee te maken?!’

Meester Wilbert haalt zijn schouders op. ‘Welke?’

‘Gemakkelijk. Mijn donkerblauwe spijkerbroek!’

Deze broek, ook wel de boomhutten-klodder-oorlogsbroek, is fijner, lekkerder en beter dan iedere andere! Hij heeft hem al een paar jaar en de knieën zijn meermalen gescheurd. Mama wil hem steeds weggooien, maar als Thomas het lang en zielig genoeg vraagt, naait ze er toch nog een lapje op. Zijn moeder vindt het niet altijd goed, maar het liefste zou Thomas iedere dag in deze broek lopen!

'Mmm,' doet meester Wilbert weer. Hij wrijft over zijn kin. 'Als ik je nou voor je verjaardag die broek gaf, zou je hem dan mooi vinden? Of had je liever een nieuwe? Goed nadenken, want je hebt de broek dan nog nooit eerder gezien.'

Thomas stelt zich voor hoe hij de cadeauverpakking eraf haalt. Taart staat op tafel en slingers hangen aan de muur. Op de tafel staan andere cadeaus: de *game à gogo color*, wauw, dat is net zoiets als de gameboy, maar dan met andere spellen! Misschien heeft hij ook wel de laatste versie van *Hellwalkers* gekregen – een waanzinnig vette game –, vast ook een boek van zijn favoriete schrijfster en misschien nog een nieuwe strip. Uit het pakje van de meester komt een broek die is gescheurd en uitgelubberd. De kleur is vaal en eigenlijk past hij niet goed; de pijpen komen tot boven zijn enkels.

'Nee,' zegt Thomas dan. 'Liever een nieuwe.' Ja, denkt hij, een met strepen en ritsen en grote kontzakken erop.

'En toch is het je lievelingsbroek.'

'Maar dat komt omdat ik 'm al jaren heb.'

Meester Wilbert trommelt de vingertoppen van zijn handen tegen elkaar. 'Je oma...' zegt hij, 'is te vergelijken met een broek.'

Thomas port zijn elleboog in meesters zij. 'Niet!'

Meester Wilbert knikt. 'Ze heeft geen blosjes meer op haar wangen en haar huidskleur is verschoten, net als het blauw van jouw broek. Haar rimpels zijn te vergelijken met de uitgelubberde pijpen, of de verroeste knoop. En ze past ook niet meer in deze tijd. Maar vroeger paste ze precies, zoals jouw broek vroeger perfect tot aan je enkels kwam. Begrijp je?'

Nee, Thomas begrijpt er niks van. Zal hij dat eerlijk zeggen?

Maar de meester doet zo zijn best het uit te leggen...

'Zondag, als je weer bij haar bent, moet je eens goed naar haar kijken. Ik bedoel niet naar de rimpels, de leverkleurige vlekken op haar handen of de tandeloze mond. Maar naar haar ogen. Vergeet het verkreukelde pakketje dat haar lichaam is geworden, maar kijk naar haar.'

'...O.'

Meester Wilbert klopt zijn broek schoon. 'De anderen zullen hun opstel onderhand klaar hebben.'

Thomas frummelt ook maar een beetje aan zijn broek. Dan gaan ze naar de klas.

3 De opwinding en zijn bonzend hart maken Thomas duizelig

Niet aan de rimpels denken. Niet bedenken hoe een gebruikte zakdoek voelt, of waar een katjesdropje zou blijven. Zijn overhemd knelt, zijn gesteven broek jeukt.

Oma drinkt haar koffie met haar gelige pink omhoog. Af en toe zegt mama iets, waarna papa instemmend knikt en oma's kraakstem 'O' zegt. Dan is het stil. Mama zucht, papa zucht en oma vraagt of iemand nog een koekje wil. De gewone zondag...

Thomas heeft het wel geprobeerd, naar haar ogen kijken, maar hij zag er niks. Ja, een wezenloze blik, dat zag hij, maar daar vond hij niks aan. Verveeld tekent hij met zijn vinger rondjes en cirkels in het tapijt, waarna hij de haartjes gladstrijkt en opnieuw begint.

Het tapijt heeft misschien wel dertig kleuren, maar ze zijn verschoten. Alle kleuren zijn verschoten in dit huis: de lampenkap, de gordijnen, het behang en de kussens op de bank – allemaal dof. En alle foto's vergeeld. Daar staat opa op het bijzettafeltje: kaal, gerimpeld, chagrijnig, vaal en geel. Oma schijnt hem nog te missen ook, die lelijke, oude man.

'Hoe is het met Thomas?' vraagt oma.

Hij wil alweer zoals gewoonlijk zijn schouders ophalen en 'Goed' mompelen. Maar dan besluit hij het dit keer anders te doen. Hij kijkt haar brutaal aan en zegt ferm: 'Slecht.'

'Slecht?'

'Ja, oma. Slecht.'

Een rilling loopt over zijn rug: oma's ogen... Dat papa en mama hem boos aankijken doet hem niets, dít is waar meester Wilbert over sprak.

‘Thomas, bied je excuses aan,’ zegt papa, maar Thomas schrikt niet van zijn strenge stem. Hij staart met open mond naar het gezicht van oma.

Ze trekt haar wenkbrauw op, een klein stukje maar, nauwelijks zichtbaar. Over de doffe huid komt een zachte glans, haar mondhoeken lijken te krullen.

Het is allemaal zo minimaal, dat Thomas zich afvraagt of zijn ogen hem misschien bedriegen. De opwinding en zijn bonzende hart maken hem duizelig. Papa en mama kuchen boos, maar Thomas heeft geen zin hun signaal op te pikken.

Hij wrijft over zijn voorhoofd: waarom beginnen de muren te draaien? Oma ziet er nog hetzelfde uit, maar ineens lijkt ze niet meer het oude, suffe, doffe wijf. Oma is een jonge vrouw. Het kleurenpatroon in het tapijt draait snel als een bromtol zodat de kleuren versmelten.

‘Slecht?’ herhaalt ze. Zelfs haar stem krast minder.

Thomas antwoordt. ‘Ik verveel me hier.’ In zijn buik kriebelen vlinders terwijl zijn knieën plots knikken.

‘Mijn hoofd…’ stamelt hij. Haar ogen staren zo dwingend, dat zijn ademhaling stokt. Het lukt niet meer om te focussen.

‘Wat gebeurt er?’ vraagt hij, maar oma glimlacht slechts en zijn ouders lijken hem niet te horen. Die zitten als bevroren op hun stoel, met het kopje koffie in hun hand.

‘Wat?’ vraagt oma. Haar stem klinkt als een jonge nachtegaal.

‘U… bent…’

Ineens zit oma niet meer in de stoel.

‘*Oma?*’ fluistert Thomas. Voor hem staat een meisje, even groot als hij, met lange blonde krullen en een rode mond. Haar jurkje wappert in de wind en aan haar voeten draait een échte bromtol, in precies dezelfde kleuren als het tapijt.

Thomas kijkt naar links en rechts en over zijn schouder naar achteren. Waar is oma gebleven?

‘Ik heet Sophie,’ zegt ze. ‘Ik vind het zo leuk om te spelen!’

‘Héllep!!!’ gilt Thomas.

‘Zo is het genoeg!’ brult papa plots.

‘Bied oma je excuses aan,’ zegt mama.

‘Zagen jullie dat?’ vraagt Thomas. Hij hijgt.

‘Het enige wat ik zie, is dat we nu naar huis gaan,’ zegt mama. Ze staat op en geeft haar moeder een kus. ‘Sorry hoor,’ zegt ze.

‘Geeft niks,’ krast oma traag.

‘Tot volgende week,’ zegt papa.

‘Krijg ik een kus?’ Ze knipoogt naar Thomas.

Bevend loopt hij naar haar toe. ‘Zag u het ook?’ vraagt hij zacht.

Oma kijkt hem aan en vraagt afwezig: ‘Wat zag ik, jongen?’

4 *Een prachtig hart, met een ridderpijl erdoor*

'Thomas? Let je op?' De klas begint te gniffelen, meester Wilbert herhaalt: 'Thomas?'

Dan haalt Marwin diep adem en schreeuwt door de klas: 'Wakker worden, Goofy!' Iedereen ligt meteen in een deuk.

'Wat?' vraagt Thomas, alsof hij net uit bed is. Hij kijkt verbaasd om zich heen en ziet Taleesa. Ook zij lacht.

De halve nacht heeft Thomas liggen piekeren. Niemand had iets gemerkt, zelfs oma niet – zij zou het toch moeten merken wanneer haar tapijt in het rond spint als een bromtol?

Wie is Sophie? denkt hij steeds. Kent hij haar? Van de camping misschien? Ze was een mooi meisje, met lange, blonde krullen. Ze speelde met een tol. Niemand speelt nog met zo'n ding. Alleen vroeger, toen Thomas klein was, heeft mama het hem eens laten zien. Je moest je touwtje om de punt winden en de tol snel lostrekken, dan zou die uit zichzelf in het rond draaien. Thomas kon er niks van – om eerlijk te zijn interesseerde het hem ook weinig.

Haar kleren waren leuk, maar gek. Ze droeg een rode jurk tot aan haar knieën, die recht omlaag liep. In de klas trokken de meisjes zoiets weleens aan als ze toneelmiddag hadden. Haar blonde haren zaten in twee staarten met rode linten op haar hoofd. Ze had rode schoentjes aan met gespen, maar die waren afgetrapt en zaten onder het stof.

'Ik had het over de klassenavond.'

'Hebben we klassenavond?' Opnieuw gelach.

'Ja, Thomas, dat hebben we.' Meester Wilbert glimlacht

flauw. Normaal is hij streng als iemand niet oplet, maar tegen Thomas lijkt hij minder boos te doen. Waarschijnlijk omdat die toch al zo wordt gepest. 'Volgende maand.'

'O.'

'We gaan de klas tot een echte disco ombouwen, met mooie muziek om op te dansen en gekleurde knipperende lichten en...'

Thomas' gedachten dwalen alweer af. Taleesa zal nóóit met hem dansen, zeker niet waar alle andere kinderen bij zijn. Hij is verdorie de stumper van de klas die altijd wordt gepest en die niet eens weet waar de les over gaat.

'...slingers met misschien een glitterbal, als ik die tenminste van Maria's moeder mag lenen. We maken mooie tekeningen op het bord en hangen posters aan de muren en...'

Marwin en Ray en Aram zitten bij elkaar in het hoekje achterin. Pffft, moet hij dáár misschien maar mee dansen? Dan kunnen ze hem bij zijn voeten vasthouden en met zijn haren over de vloer slepen. Dat zou nog eens lekker dansen zijn.

'...en natuurlijk een speciaal donker hoekje waar we onze geliefden de liefde kunnen verklaren.' Meester Wilbert glimlacht terwijl hij diep ademhaalt na de enorme opsomming.

'Ahh!' gillen de kinderen uit de klas lacherig.

Thomas zegt niets. Een donkere hoek? denkt hij. Dat is misschien een goede plek om Taleesa écht zijn liefde te verklaren! In het donker ziet hij haar slecht, dus dan durft hij wel!

'Maarrr...' meester Wilbert steekt zijn hand op. 'We hebben mensen nodig voor de organisatie. Jullie begrijpen dat ik niet in mijn eentje alles ga voorbereiden. Ik wil een kookploeg, een limonadeteam, een schoonmaakploeg en een muziekgroep, plus een Ministerie van Versieringen om alle bezigheden te overzien en in goede banen te leiden.'

Iedereen uit de klas krijgt een taak. Sommigen vinden het leuk om muziek uit te kiezen en discjockey te zijn, anderen willen lekkere hapjes klaarmaken en sommigen willen best opruimen omdat ze dan het allerlangste op mogen blijven.

Thomas wil graag in het Ministerie van Versieringen. Hij wil de hele avond kunnen overzien. Het moet perfect zijn, en helemaal naar zijn zin. Zeker weten moet hij er alleen naartoe, maar wie weet vertrekt hij met Taleesa aan zijn hand…

In zijn schrift tekent hij een prachtig hart, met een ridderpijl erdoor. Aan de ene kant zet hij een T en aan de andere kant opnieuw een T. Thomas en Taleesa. De bovenste T versiert hij met bloemetjes en kleine hartjes. Dat is die van Taleesa.

Zodra het Ministerie van Versieringen ter sprake komt, steekt Thomas zijn vinger snel op, zo hoog dat zijn gezicht er rood van wordt. Please, please, denkt hij. Hij kijkt meester Wilbert smekend aan.

'Eens even kijken: Ray, Finn, Madeleine… en Thomas.'

Yesss! denkt Thomas.

Maar meester was nog niet uitgesproken: '…en Taleesa.'

Gloep! doet Thomas.

'Prima,' zegt meester Wilbert. 'Dat zijn er twee, vier, vijf. Heel mooi.'

Taleesa zit ook in het Ministerie, denkt Thomas. Dat Ray er óók inzit, beseft hij nog niet. Hij denkt alleen maar: Taleesa zit ook in het Ministerie.

5 *Stofzuigen voor NimfoBattle*

Mama leest in een tijdschrift voor vrouwen.

'Thomas?' vraagt ze als hij binnenstapt. 'Wil jij even stofzuigen?'

Thomas knikt tevreden. Dat betekent weer vijf euro extra om straks *NimfoBattle* te kopen! Shit, die game schijnt echt totaal vet te zijn! Glimlachend opent hij de gangkast, zijn rugzak heeft hij onder de kapstok gesmeten. *Danger Living part III* is nu bijna uitgespeeld. Het was óók vet, maar toch minder dan deel een en twee. Er gutste geeneens bloed uit je nek als zo'n zombie je opvrat, dat is toch het minste wat Thomas had verwacht. Als straks deel vier uitkomt, hoeft hij die niet meer, denkt hij.

Met papa en mama heeft hij de afspraak gemaakt dat hij geld krijgt voor verschillende klussen in en rond het huis. Gras maaien, auto wassen, ramen lappen... Op die manier kan hij zélf beslissen wat hij koopt en bovendien leert hij de waarde van geld kennen. Dat laatste vond papa van groot belang. Mama vindt het vooral lekker dat zij niet steeds degene is die het huis moet schoonmaken. Voor Thomas is het perfect: van zijn zakgeld koopt hij diverse game-*magazines*, en van zijn 'werkgeld' koopt hij vervolgens de games die hij uit de tijdschriften heeft gekozen. Hij heeft er al zes zelf gekocht, plus nog twee van papa gekregen, dat is wel honderden euro's waard.

Hij weet precies waar de stekker in het stopcontact moet als je in één keer de hele woonkamer wilt bereiken met stofzuigen, daarna moet je de stekker naar de gang verplaatsen voor de hal en de trap. Boven zit je met die kleine rotkamertjes, maar ook daar hoef je maar twee keer te stoppen en de stekker te wisselen. Fluitje van een cent. Hij trapt de stofzuiger aan alsof hij een snelle motor moet starten.

Vanmiddag heeft meester Wilbert gevraagd hoe het was gegaan bij oma. Thomas haalde zijn schouders op en murmelde: 'Goed wel, op zich.' Hij was eigenlijk te beduusd van wat hij had gezien om erover te praten.

'Is het gelukt?'

'Mwah.'

'Heb je gekeken?'

Thomas knikte.

'Wil je er niet over praten?'

Thomas haalde zijn schouders op.

'Is er iets gebeurd?'

'Ik werd misselijk,' zei Thomas toen. 'En draaierig.'

Meester Wilbert keek hem met grote ogen aan. 'Echt waar?'

Thomas voelde kippenvel langs zijn ruggengraat. Was hij draaierig geweest? Het was *meer* dan dat. Hij was kots- en kotsmisselijk, de hele kamer spon in het rond! Alle kleuren van het tapijt versmolten tot één draaiende brij, alsof hij in een supersnelle maar mysterieuze Calypso zat!

'Oma vroeg hoe het met me ging,' vertelde hij. 'Toen heb ik gezegd hoe vervelend ik het vond. En toen werd ik draaierig en misselijk.'

Meester Wilbert klopte hem op de schouder. 'Je was misschien bang,' zei hij.

Thomas knikte. Ja, misschien was hij gewoon geschrokken van zijn brutaliteit. Dat zal het zijn.

'Vraag maar eens iets aan haar,' adviseerde de meester. 'Gewoon, weet ik veel, over vroeger, wat zij leuk vond toen ze zo oud was als jij nu bent. Misschien gaat het dan beter.'

'O ja.'

'Dag Thomas.'

'Dag meester.' Toen ging hij naar huis.

Thomas zet de stofzuiger uit. 'Mam?'

'Ja, Thomas?'

'Kennen wij iemand die Sophie heet?'

'Oma heet Sophie, hoezo?' Ze slaat de bladzijde om.

'Niks.'

Hij wist niet dat ze Sophie heet, toch? Oma was gewoon oma. Wat is er gebeurd toen hij eerlijk zei wat hij dacht?

Met trillende handen draagt Thomas de stofzuiger de trap op. Wat is oma eigenlijk, een heks of zo?!

6 Thomas wordt meegezogen in een spinnende draaikolk

Mama zucht, papa zucht en oma vraagt of iemand nog een koekje wil. Het is alweer een gewone zondag. Hij heeft haar gekust en zij kuste hem terug. Een rode zuigvlek ontsiert zijn wang. Ze stonk weer enorm, brrr.

'Hoe is het met Thomas?' kraakt haar stem. Tussen haar vingers houdt ze een slap koekje vast, dat straks een kruimel op haar wang zal achterlaten.

Zoals gewoonlijk haalt Thomas zijn schouders op en mompelt: 'Goed.' Hij wil niet vragen wat zíj vroeger deed. Wie weet wat er dan gebeurt. De hele week is het draaiende tapijt in zijn hoofd blijven spinnen, hij heeft er slecht van geslapen. Met papa en mama heeft hij er niet over gesproken, hij kijkt wel beter uit, die snappen nergens iets van.

Hij friemelt aan de vouw in zijn broek en trekt aan de kraag van de stijve blouse, pffft!

'Moest je die broek alweer aan?'

Geschrokken kijkt Thomas naar oma, en ook zijn moeder schrikt, ze trekt wit weg.

'Marieke, waarom moet dat jong die kleren toch altijd aan?'

'Mam...'

Maar oma luistert niet naar zijn moeder. 'Laat 'm volgende week eens zelf kiezen, hij is toch groot genoeg?'

Mama slaat haar ogen neer. 'Goed, mama,' fluistert ze.

Net goed.

'Ik ben benieuwd wat jij zelf het liefste draagt.' Oma knipoogt.

Als een soort beloning antwoordt Thomas: 'We hebben binnenkort klassenavond.' Omdat ze het voor hem opnam, wil hij nu wel iets over zichzelf vertellen.

'O ja?' Ze is er zichtbaar blij mee.

Papa en mama kijken vragend op. Ha, aan hen heeft hij nog niets gezegd over het feest. Dat zal ze leren!

'Ik zit in het Ministerie van Versieringen.'

'Wat leuk.'

'Ja, leuk,' zegt mama geïnteresseerd, maar Thomas reageert niet op haar. Hij denkt aan de meester en vraagt: 'Heeft u misschien goede ideeën? Wat deed u bijvoorbeeld als u klassenavond had?'

Meteen wou hij dat hij het niet had gevraagd.

'Wat ik vroeger deed?' zegt oma enthousiast. Haar stem krast niet langer als die van een raaf, maar klinkt nu ook niet als die van een jonge nachtegaal. Haar stem is net... een donderende brul uit de hemel. Oei, wat klinkt ze hard, kan iemand het volume uitzetten? Hij duwt zijn handen tegen zijn oren, maar het helpt niks. Oma's stem dreunt dwars door zijn hoofd.

'VROEGER, OCH, TOEN HAD IK GEEN KLASSENFEEST.'

Au, denkt Thomas, au au au! Hij knijpt zijn ogen stijf dicht.

'EERST MOCHT IK WEL NAAR SCHOOL, IK VOND HET HEERLIJK OP SCHOOL. MAAR TOEN KWAM HET ER NIET MEER VAN. MAMA, MIJN MAMA DUS, HAD HULP NODIG MET DE ANDERE KINDEREN.'

Hoewel hij zijn ogen dichthoudt en zijn kaken op elkaar klemt, voelt het alsof hij wordt meegezogen in een spinnende draaikolk. Golven slaan tegen zijn hoofd, links en rechts, af en toe gaat hij kopje onder en krijgt hij geen lucht meer.

'IK WAS DE OUDSTE, DUS JA, DAAROM KON IK NIET

MEER NAAR SCHOOL. IK MOEST LANGS DE DEUREN IN HET DORP, VRAGEN OF MENSEN NAAIWERKJES HADDEN. MAMA WAS NAAISTER EN EEN GOEDE OOK. MAAR IK WAS JONG, IK WILDE NOG NIET WERKEN.'

Hou op! denkt Thomas. Zijn schedel spat bijna uit elkaar.

Straks liggen zijn hersenen verspreid over het tapijt, net als in het laatste level van *Danger Living*. Zijn tanden lijken af te brokkelen, zo hard bijt hij erop. En oma praat maar door. Oma, hou op, hou op!

'DE HELE DAG LOPEN, AANBELLEN, WERK AANNEMEN EN NAAR MAMA BRENGEN. THUIS MOEST IK DAN AFWASSEN, OF KLEINE JAN VERSCHONEN DIE NOG NIET NAAR SCHOOL GING. VAAK SCHILDE IK OOK DE AARDAPPELEN. ALS HET NAAIWERK KLAAR WAS, BRACHT IK HET TERUG NAAR DE MENSEN IN DE RIJKE BUURT. SOMS KREEG IK EEN STUIVER FOOI OMDAT MAMA ZO'N GOEDE NAAISTER WAS. DIE STUIVER MOEST IK AAN HAAR GEVEN, ZIJ HAD HEM TENSLOTTE VERDIEND, MAAR IK WILDE ZO GRAAG ZELF EEN BELONING.'

Bijna rollen tranen uit Thomas' ogen van de pijn.

'THOMAS? IK HEB ZIN IN EEN SNOEPJE.'

Hij fronst zijn wenkbrauwen – wil die donderstem nu iets van hem?

'THOMAS?'

Voorzichtig doet Thomas zijn ogen open.

'Ik wil een snoepje.'

Thomas' mond valt open van verbazing. Daar staat ze. Het meisje van de vorige keer, met haar rode schoentjes, versleten van het vele lopen, weet hij nu. Haar blonde krullen vallen over haar schouders. Tussen haar smalle vingers klemt ze haar houten tol. Ze glimlacht lief, zo lief. Thomas glimlacht terug.

– 1926 –

De chauffeur, de snoepverkoper en de agent

'Ik ga snoep halen,' zegt Sophie. Haar stem klinkt zacht en zoet als honing. Ze zet haar tol op de grond, geeft er een zwieper aan met haar touwtje en rolt hem voor zich uit.

Thomas kijkt zijn ogen uit. Op straat loopt iedereen in klederdracht. De vrouwen dragen lange, rechte jurken met kralen kettingen om hun hals. Ze hebben hun korte haren gekruld, maar strak tegen hun hoofd gekamd. De jongens dragen nette jasjes en broeken die tot aan hun kuiten komen.

Ze spelen met auto's die ze van appelkisten hebben gemaakt, ze rijden ermee van een helling.

'Een zeepkistenrace,' zegt Sophie, als ze ziet dat Thomas ernaar kijkt.

Sommige kinderen hoepelen of knikkeren, maar Thomas ziet ook veel spelletjes die hij niet kent. Twee meisjes gooien een bal omhoog en rapen dan snel iets van de grond.

'Dat is bikkelen, heel leuk hoor!' zegt Sophie.

De bal mag maar één keer stuiteren terwijl ze iets oprapen, en als ze alles hebben, moeten ze het op dezelfde manier weer terugleggen. Als dat is gelukt, moeten ze de bikkels twee keer van de grond pakken terwijl de bal in de lucht is, en dan drie keer, en vier...

Een groepje kinderen is aan het hinkelen, maar even verderop ziet Thomas twee jongens vliegeren.

Over de stoffige hobbelweg rijdt een auto, maar wat voor auto! Een oud model rijdt hier – toen auto's nog haast koetsen leken. Die zijn onbetaalbaar!

'Die ken ik alleen uit het museum!' zegt Thomas. Ze zijn met vakantie wel eens naar zo'n museum voor techniek geweest. Daar kon je zien hoe de fiets zich had ontwikkeld van een hoge circusfiets tot een lage met luchtbanden zoals Thomas die nu heeft. Er stond zelfs een locomotief met wagons uit een oude trein. En vliegtuigen: zweefvliegtuigen, tweepersoonsvliegtuigjes, tot aan een zeppelin. En dus ook auto's, die gingen terug tot in 1800, ongelooflijk!

'Toet-toet, tóéóéoeoet!'

Verschrikt kijkt Thomas opzij, maar meteen valt zijn mond open... Een echte Peugeot van het type 3! Zo een hadden ze in het museum!

'Scheer je weg, belhamels!' roept de bestuurder boos naar een groepje kinderen dat staat te bokspringen. Ze lachen brutaal en roepen de chauffeur na.

De bestuurder loopt dieprood aan. Hij zet zijn vliegeniersbril op zijn voorhoofd, duwt zijn autodeur open – echte leren stoelen, denkt Thomas vol bewondering – en beent boos op het groepje af. Gillend rennen ze weg, maar de bestuurder rent nu ook. 'Ik zal jullie!' hoort Thomas hem roepen.

Nu staat de Peugeot daar maar alleen. Mevrouwen met zwierige jurken lopen erlangs – hé, beseft Thomas ineens, zo zien de vrouwen eruit in filmpjes van de dikke en de dunne! Hij glimlacht. Meneren met dikke buiken flaneren over de stoep. Ze trekken puffend aan hun sigaren, maar niemand let speciaal op de Peugeot...

'Ik ga erin,' zegt Sophie.

Met grote ogen kijkt Thomas haar aan. Dat guitige koppie met die glinsteroogjes... ze is precies het kleine zusje dat Thomas graag had gehad.

Sophietje lacht haar scheve tandjes bloot. 'Ik doe het,' zegt ze terwijl ze brutaal de deur opent.

Voor Thomas is het alsof de tijd stilstaat nu hij met Sophie in de auto klimt, alsof hij in *slow-motion* op de brede rand stapt die aan de buitenkant van de deur is bevestigd. Het leer van de zitting, zo'n volrode kleur en zó zacht... Zijn vingers glijden over het lichtbruine, leren stuur.

'Als je daaraan trekt, dan toetert-ie,' zegt Sophie. Maar net op het moment dat de wagen een heerlijk volle claxon-klank produceert, stapt de bestuurder de hoek weer om.

'Wat moet dat?!' gilt hij. Met een gebalde vuist aan zijn opgeheven arm rent hij op hen af.

'Snel!' Sophie en Thomas springen uit de auto en zetten het op een rennen.

Sophie springt een steeg in. Hier is een winkel en ze gooit de deur open. 'Klingelingeling!' doet de bel.

'Vollek!' roept Sophie brutaal. Hijgend loopt Thomas achter haar aan. De chauffeur is nergens te bekennen, gelukkig even rust.

De winkelbediende komt uit een kleurloos en stoffig hok. 'Goedemiddag.'

Thomas knikt, maar begint meteen te hoesten. Zijn gezicht is paars aangelopen en hij denkt dat hij ter plekke dood neervalt. Shit, voortaan moet hij toch fanatieker meedoen met schoolgym, want dit is niks.

In de winkel staan glazen stopflessen op stellingen langs de wand. Er zitten stickers op met de namen van het snoepgoed: *kandijsticks*, leest Thomas, en *hete bliksem* en *polkabrokken*.

'Twee stroopsoldaten,' zegt Sophie.

'Heb je geld?' vraagt de man wantrouwend.

'Pffft,' doet Sophie beledigd.

Dan haalt de verkoper zijn schouders op, draait zich om en legt twee rolletjes papier op de toonbank. Thomas heeft geen idee wat erin zit

'En ook vier babbelaars en twee ulevellen,' besluit Sophie dan.

Met zijn dikke vingers grabbelt de man het snoep uit de potten. Weinig voorzichtig klapt hij het op de toonbank. 'Anderhalve cent.'

Thomas kijkt Sophie aan. Anderhalve cent? Dat is niks!

Pas als Sophie langzaam naar het snoep reikt, begint Thomas te snappen dat er iets niet klopt...

Ze graait het snoep van de toonbank en zet het plots op een rennen. 'Hellup,' wil Thomas roepen, maar de deurbel heeft al geklingeld en voor hij het beseft, is hij op de vlucht voor een snoepverkoper.

Hij wil roepen dat hij niet meer kan, maar heeft al zijn adem nodig om te rennen. Links en rechts glippen ze straten en stegen in, Sophietje is gewend om door de stad te rennen.

Als ze over het stadsplein gaan, worden Thomas' ogen plots groot. Die kerk..., dat plein... ze zijn gewoon in Bromberg!! Het lijkt wel een ander land!

'O jee!' gilt Sophie.

Nu ziet ook Thomas de prachtige Peugeot staan. De bestuurder herkent hen en begint meteen te roepen: 'Houd ze tegen!'

'Potverdrie, politie!' sist Sophie.

Het gaat zo snel, Thomas had de agent nog niet gezien. 'Prrríííeeettt!' klinkt zijn fluit over het plein.

'Stop ze!' roept de chauffeur.

'Bijna, we zijn er bijna,' zegt Sophie.

Shit, denkt Thomas, nu zitten ze met z'n *drieën* achter ons aan!

Thomas rent en rent. Sophietje is traag dit keer. Waar is ze nou? Thomas kijkt achterom. O nee! Ze is gevallen!!

'Ren door!' roept ze naar Thomas. Maar dat kan niet, hij moet haar helpen!

De snoepverkoper komt van achteren, hij zit hen op de hielen. De agent rent om de huizen heen en komt straks ergens aan de linkerkant. Je ziet hem niet, maar o, wat klinkt die fluit! De chauffeur is zojuist aan het andere einde van de straat opgedoken. Het duurt niet lang meer, ze zijn bijna gepakt.

'Mijn enkel,' zegt Sophie. 'Ik kan niet lopen.'
'Ik heb ze!' roept de snoepverkoper.
'Ik grijp ze!' gilt de chauffeur.
'Prrríííeeettt!' De agent zit links van hen, dat hoor je nu goed.
'De agent zit in de tweede straat,' zegt Sophie dan. 'De eerstvolgende steeg moeten wij naar links! Ene, tweeje, nu!'

Thomas springt opzij, met zijn arm om Sophies middel. Zo trekt hij haar mee. Hij heeft geen idee wat er is aan zijn linkerkant. Door de stress kan hij niet meer denken. Sophie kent de buurt, hij moet op haar vertrouwen.
'Hellup!' roept de snoepverkoper.
'Ze buigen af!' gilt de chauffeur.
'Ik kan niet remmen!' roept de agent – de fluit nog tussen zijn tanden.
En dan knallen ze, baf, tegen elkaar op. Daar liggen ze; de chauffeur, de snoepverkoper en de agent. Boven op elkaar als een bultje slappe was.
'Hihihi,' giechelt Sophie.
'Haha,' lacht Thomas.
Hun achtervolgers verroeren geen vin. Alleen het fluitje van de agent doet nog even: 'Prrr', maar is dan ook stil.

'Mooi verhaal,' zegt mama ineens. Thomas schrikt ervan.
'Goh, mama, dat was spannend.' Zijn vader zit te glunderen.
Verbaasd kijkt Thomas om zich heen. Hij voelt aan zijn wangen – die gloeien.
'Dank je,' krast oma. Haar ogen vallen dicht, ze zakt in elkaar als een lekke bal.

Thomas strijkt over zijn voorhoofd. Wat is er gebeurd?

Meneer en mevrouw Misha staan op en trekken hun jas aan. Ook Thomas moet nu naar huis. Hij probeert zijn oma zo indringend mogelijk aan te kijken. Reageert ze? Een kleine knipoog, een opgetrokken wenkbrauw? Nee, oma is alweer in gedachten verzonken. Of in slaap gevallen, dat verschil is nauwelijks te zien.

Papa legt zijn hand in Thomas' nek als ze naar de auto lopen. Thomas steekt zijn hand in zijn zak. Daar voelt hij een stroopsoldaat uit de snoepwinkel. Hoe kan dat? Heeft oma die aan hem gegeven? Maar wanneer dan? Vroeger, toen ze voor de politie op de vlucht waren, of nu net bij het afscheid...?

Hij weet het niet.

7 Een gemeen briefje in een pennenbakje

Akelige Aram! Rottige Ray! Machtige Marwin…

Ze houden hem stevig vast in de wc's, niemand kan hen zien, niemand kan Thomas helpen.

'Eens even kijken…' zegt Marwin. Hij draait de punten van een theedoek om zijn eigen polsen. 'Deze gaat om je hoofd.'

'Au!' roept Thomas, maar Marwin knoopt grinnikend de theedoek achter op zijn hoofd vast.

'Hèhèhè,' doen Ray en Aram, maar die kunnen toch amper iets uitbrengen dat intelligenter klinkt dan dit.

Het komt door gisteren, door dat rotbaantje van hem. Gisteren mocht hij de ramen lappen. Om eerlijk te zijn was hij daar blij mee, want ze hebben thuis twee grote ramen aan de voorkant, die heb je zo gedaan, vooral de buitenkant is gemakkelijk. Aan de achterkant ben je langer bezig, maar die ruiten leveren meer op dan de ramen aan de voorkant. Het duurt niet lang meer of hij heeft *NimfoBattle* bij elkaar gespaard.

Nou goed, hij was dus lekker bezig – stond zelfs zachtjes te neuriën – toen hij plots bevroor. Hij hoorde: 'Dag Thomas.' En hij wist dat het met hem was gedaan.

Het was Marwin. Die liep wel vaker zomaar langs zijn huis – en elke keer bezorgde hij Thomas een hartverzakking. Waarom liep hij langs? Misschien moest Marwin door de Troelstralaan om boodschapjes te halen voor zijn moeder, dat zou best kunnen. Niet dat het uitmaakte. Al stond Marwin óók ramen te lappen, dan nog zou *Thomas* ermee worden gepest. Hij hoefde niets bijzonders te doen om toch de klos te zijn.

Dus schraapte hij zijn keel, hij hoestte een paar keer, werd vuurrood en tegelijk lijkbleek terwijl hij stotterde: 'D-dag M-Marwin.' Zijn stem sloeg over.

Zo bleef hij achter. Met de spons in zijn ene hand, de emmer sop naast hem op de grond, een zeem over zijn schouder geslagen en de trekker nog op het raam. En hij wist dat zijn leven voorbij was.

Vanmorgen vond hij een briefje in zijn pennenbakje. Hij had er al een verwacht, maar toch schrok hij en beefden zijn vingers toen hij het openvouwde.

Lekker raampjes lappen, Misha!

Je kon niet bepaald zeggen dat Marwin origineel was. Thomas besloot maar af te wachten wat er ging gebeuren, hij zou het vast wel weer overleven.

Nu, in de eerste pauze, grijpen ze hem al.

Naast de wastafels staat in het hoekje een bezemsteel, die duwt Marwin tussen Thomas' vingers.

'Een raam... een raam...' mompelt hij. Met zijn wijsvinger tikt hij tegen zijn kin, terwijl hij zoekt naar iets dat als raam kan dienen. 'Ah!' zegt hij dan. Hij knipt met zijn vingers en Aram en Ray duwen Thomas hardhandig naar de spiegel die tussen de wastafels hangt.

'Eerst even zemen,' zegt Marwin. 'Ja toch? Even soppen?'

Thomas zegt niks, want Marwin wacht toch niet op zijn antwoord. 'Oké, dan mag je nu eerst de spiegel nat likken.'

'Bekijk het,' zegt Thomas, maar Aram en Ray drukken zijn neus al plat tegen het glas. 'Pffrrt,' doet Thomas, terwijl zijn lippen over de spiegel schuren.

‘Heel goed,’ knikt Marwin. ‘En dan droogwrijven, is het niet?’

‘Hèhè,’ doen Aram en Ray. Ze zwiepen Thomas’ hoofd, dat in de theedoek is gewikkeld, van links naar rechts heen en weer over de spiegel.

‘Mooi hoor, bedankt,’ zegt Marwin eindelijk. Ze laten

Thomas op de grond zakken en stappen luid lachend de toiletten uit...

‘O jee, o jee,’ hoort Thomas zacht vanaf de gang. Hij glimlacht: dat is meester Wilbert.

‘Oei, oei, oei,’ zegt die als hij Thomas ziet zitten. Meteen glijdt hij naast hem op de grond. ‘Wat is er gebeurd?’

‘Even de ramen gelapt.’ Thomas barst in lachen uit, terwijl hij eigenlijk wel kan janken.

Hij legt zijn hoofd tegen de schouder van meester Wilbert, heel eventjes. De meester zegt niet dat hij de ouders van Thomas zal bellen, of die van Marwin. Toen het pesten begon, heeft Thomas hem gevraagd er niemand iets over te vertellen, en aan die afspraak houdt de meester zich.

‘Ik heb oma naar vroeger gevraagd,’ zegt Thomas.

Meester Wilbert veert op. ‘Wat zei ze?’

‘Dat doe ik dus nooit meer.’

‘Hoezo?’

Thomas haalt zijn schouders op. Hij spert zijn ogen open, kijkt de meester indringend aan en fluistert: ‘Ik denk dat ik gek word.’

‘Waarom?’

‘Eerst, toen ik zei dat ik het niet leuk vond bij haar, ging het tapijt spinnen als een tol. Ik werd kotsmisselijk en kon geen adem meer krijgen, echt waar. Ineens zag ik een meisje met een tol, Sophie, zij wilde spelen. Wat blijkt? Oma heet Sophie.’

‘Zo,’ zegt meester Wilbert.

‘Maar toen ik vroeg wat zij vroeger deed…’

‘Wat toen?’

‘U mag het aan niemand vertellen, echt niet. U moet beloven dat u het aan niemand zegt.’

‘Ik beloof het,’ knikt de meester. ‘En je weet dat ik beloof wat ik beloof, ik bedoel–’

‘Ja, ik snap het.’

De meester houdt zijn mond.

‘Haar stem… werd luid als een klokkentoren. Ze galmde en dreunde in mijn hoofd over vroeger. Dat zij haar moeder moest helpen die naaister was. Dan zegt ze dat ze zin heeft in een snoepje en rats, daar sta ik, midden in het begin van de vorige eeuw.’

Meester Wilbert kijkt Thomas met grote ogen aan.

‘Word ik gek?’ vraagt Thomas zacht.

De meester haalt zijn schouders op. ‘Als dat zo is, zien we dan wel weer.’

‘O.’ Thomas zucht. ‘Het deed vreselijke pijn, ik dacht dat ik stierf. Mijn hoofd knalde uit elkaar, er zaten rotjes in mijn oren, au au.’

‘Au,’ zegt meester Wilbert.

‘Dus wij gaan snoep stelen en klimmen in een prachtige oude Peugeot. Type drie, kent u die uit het museum?’

Meester Wilbert knikt met een glimlach.

‘We werden door drie mensen achtervolgd, ik was doodsbenauwd. Maar net nadat iedereen tegen elkaar was gebotst, zegt m’n moeder dat ze het verhaal zo mooi vindt. Maar ik *luisterde* niet naar een verhaal, ik zat *erin*.’

De meester fluit tussen zijn tanden.

‘Nu moet u iets zeggen dat wijs klinkt!’

Dus glimlacht de meester en hij zegt: ‘Ik heb een idee.’

‘Ja?’

‘Maar dat bedenk ik zelf. Misschien klopt er geen snars van.’

‘Wat is het?’

‘Jij verzet je. Je had een idee van je oma dat nu niet blijkt te kloppen. Jouw oma is *meer* dan oud en vies, ze is ook jong en spannend. Soms, als mensen ineens iets nieuws zien in iemand die ze al jaren kennen, zorgt het voor een schok. Onbewust verzet jij je tegen een leuke oma. Ik denk dat je moet proberen je niet meer te verzetten, dan doet het straks geen zeer meer. En hoef je niet meer te schrikken.’

‘Mees?’

‘Ja?’

‘Ik zat midden in het verhaal.’

‘Dat is toch leuk?’

‘Ik bedoel: ik zat erín.’

‘Dan kan jouw oma goed vertellen.’

Nee, denkt Thomas, dat was het niet...

Meester Wilbert staat op en helpt Thomas overeind. ‘Kom, we gaan naar de klas.’ Maar Thomas denkt: Nee, dat was het niet. Niet alleen dat.

8 *De liefdeshoek op de klassenavond is de perfecte oplossing*

De klassenavond is over minder dan drie weken, het lijkt nog ver weg, maar het is al snel. Ze moeten veel regelen: welke drankjes worden er gekocht, welke versieringen gaan ze maken, welke ouders willen helpen. Het Ministerie van Versieringen moet alles opschrijven en onthouden, zodat het straks kan controleren of alles in orde is.

Thomas zoekt zijn schrift, maar kan het niet vinden. Zijn tas was door Ray en Aram door de wc geslingerd, maar Thomas heeft al zijn spullen daarna bij elkaar gezocht – vulpen, balpen, stripboek, zakdoekjes, kleine soldaat van plastic – er lag echt niets meer. Zou hij het thuis vergeten zijn? Dat is niks voor hem.

'Thomas, doe je mee?' vraagt meester Wilbert.

Thomas knikt. Hij zal thuis verder zoeken.

'We moeten een thema bedenken voor onze klassenavond. Wordt het een griezelavond? Wordt het een prinsen- en prinsessenavond? Wie heeft er een idee?'

Lisa steekt haar vinger op. 'Ik vind het leuk om een sterrenavond te houden, meester. Dan kunnen we ons als beroemde televisiehelden verkleden, bijvoorbeeld Superman of Barbie, of als een Teletubbie.'

'Bóéóéóé!' brult Marwin van achter uit de klas. Lisa fronst haar wenkbrauwen en kijkt boos, maar ze zegt niets, ze zucht alleen.

'Wat wil jij, Marwin?' vraagt de meester.

Marwin haalt meteen zijn schouders op en kijkt chagrijnig naar buiten. Thomas had niet anders verwacht, er is nog nooit iets leuks uit Marwin gekomen.

Samir steekt zijn vinger op. 'We kunnen een dierenavond houden. Je mag je verkleden als kakkerlak of als lieveheersbeestje. Dan kan ik komen als een enorme harige spin!' Samir heeft thuis een spinnenverzameling, hij is gek op die beesten.

'Bóéóéóé,' brult Marwin weer, Ray en Aram doen dit keer mee. Meester Wilbert kijkt hen boos aan en zegt dat dit de laatste keer is dat ze zo mogen reageren. De volgende keer krijgen ze strafwerk. Meteen kijken ze alledrie boos uit het raam.

Thomas maakt het niet zoveel uit wat het thema wordt. Het enige wat hij belangrijk vindt, is dat er een donkere liefdeshoek komt zodat hij Taleesa verkering kan vragen. Dat moet in het thema passen, het is zijn enige voorwaarde. Bij beroemdheden heb je zo'n aparte plek niet nodig, dus die vallen af. Spinnen houden van donkere hoekjes, dat is al een beter idee.

Mohammed steekt zijn vinger op. 'Mij lijkt het leuk om tegenpolen als thema te nemen. Dan kan je in groepjes van twee bedenken hoe je komt. Bijvoorbeeld de zon en de maan, arm en rijk, of lief en chagrijnig.'

'Dat is een leuk idee,' zegt meester Wilbert. 'Wat vinden jullie ervan?' Marwin blijft stil, iedereen blijft stil.

Tiffany steekt haar vinger op. 'Meester, eigenlijk vond ik het gewoon leuk om een griezelavond te doen, wat u als eerste zei.'

'Ja?'

'Ja,' mompelen andere kinderen ook.

Thomas denkt na. Om te griezelen moet alles donker zijn, dat is ideaal!

Samir zegt: 'Ik vind het goed, dan kom ik toch als een harige spin.' Meester Wilbert glimlacht. Mohammed zegt: 'Ik kom als prins. Dan ben ik toch een tegenpool van alle anderen, maar deze prins is overdag een lelijke kikker. Alleen dat zie je niet, want ons feest is 's avonds.' Meester steekt zijn duim op: 'Dat is slim bedacht, Mohammed.' Lisa zegt dat zij als kattenvrouw zal komen, dat is een filmster én een griezelig iemand. Iedereen is tevreden. Het thema van de avond wordt: griezelen.

De school is uit. Marwin en Ray en Aram renden de deur uit en het plein af, dus Thomas hoefde niet te wachten tot zij weg waren, hij kon meteen naar huis.

Hij heeft uitgerekend dat het nog negentien dagen duurt voordat hij Taleesa verkering zal vragen. Het koude zweet breekt hem uit bij de gedachte. Hij kent haar nauwelijks, heeft amper ooit met haar gesproken. Hoe zal ze reageren? Misschien lacht ze hem in zijn gezicht uit, en dat op een *klassenavond*...

Zijn huis is de andere kant op, maar Thomas wil nog even niet naar huis. Zijn moeder heeft gevraagd of hij vanmiddag het stoepje voor de deur wil vegen – hij krijgt er drie euro voor, dat is alles wat hij nodig heeft voor *NimfoBattle*. Maar Thomas is als de dood dat Marwin weer langsloopt. Soms heeft hij het idee dat hij elk moment van de dag in de gaten wordt gehouden door boze blikken. Dat is niet zo, dat weet hij wel, maar het is moeilijk om je te ontspannen als er elk moment iemand kan opduiken die jou begint te treiteren.

Hellwalkers is ontzettend leuk, gelukkig, dus hij kan zichzelf goed vermaken. Hij moet niet alleen snel zijn, maar ook goede tactieken bedenken om langs vijanden te komen. Af en toe staat het zweet op zijn voorhoofd. Mama heeft al eens zijn hals gevoeld om te controleren of hij ziek was, want zijn wangen waren zo rood aangelopen. Hij wilde zeggen dat het van de game kwam, maar bedacht zich op het laatste moment. Zijn moeder zou het spel zomaar kunnen afpakken, als ze vermoedt dat hij te veel speelt.

Hij moet zich niets van Marwin aantrekken, dat zegt meester

Wilbert. Thomas weet dat wel, maar soms is het niet gemakkelijk te blijven geloven in jezelf. Hij heeft nog geluk dat er verder niemand in de buurt is als ze hem grijpen.

Ongemerkt is hij de winkelstraat doorgelopen. Voor de etalage van de gameshop blijft hij staan. Daar ligt *NimfoBattle*. Zonder nadenken gaat hij naar links en dan weer naar rechts.

Pas als hij voor oma's huis staat, beseft Thomas dat hij naar haar toe gelopen is.

Het duurt even voordat er wordt opengedaan, oma is niet meer zo goed ter been. Als ze hem ziet, schieten haar dunne wenkbrauwen omhoog.

'Wat een verrassing,' zegt ze met een glimlach. Verlegen stapt Thomas naar binnen.

'Geen kus?' vraagt oma.

Thomas schudt zijn hoofd.

'Goed hoor.' Kreunend laat ze zich in haar stoel zakken. 'Wil je zelf iets te drinken pakken?'

Thomas loopt naar de keuken. Hé, staat de koelkast open? Oma is vergeten die dicht te doen, zie je, ze wordt al dement! Wat een troep staat erin: enorme pannen, van die loodzware gietijzeren dingen. Wat moet een oude vrouw daar nou mee, daar kan ze toch niet in koken? Hij tilt de deksels niet op, er zit vast allemaal schimmel in. Een colaatje zou hij wel lusten, maar dat staat er natuurlijk niet. Hij duwt de koelkast dicht en merkt tot zijn verrassing dat het hele ding naar voren leunt als de deur openstaat. Puffend duwt hij het gevaarte tegen de muur. Jeetjemina, die koelkast is net zo oud als oma, die valt nog van ellende uit elkaar!

Uiteindelijk pakt hij maar een glaasje water.

Hij vraagt zich koortsig af wat hij in vredesnaam tegen zo'n oude dame als zijn oma kan zeggen. Normaal voeren papa en mama het woord – waarover praten die eigenlijk?

Gelukkig helpt oma hem een handje en ze vraagt: 'Heb je al klassenavond?'

'Over drie weken.'

'Mmm,' doet oma. Haar hoofd maakt een tergend langzame knikbeweging en ze sluit haar ogen.

Wat doet ze?! denkt Thomas angstig. Valt ze nu in slaap? Gaat ze dood? Niet doodgaan, niet nu ik hier in mijn eentje ben!

Plotseling tilt ze haar hoofd weer op en kijkt hem aan. Thomas glimlacht. Hij kijkt de kamer rond. Het ronde witte kanten doekje over de rugleuning van de fauteuil – dat heet een antimakassar, weet hij. De afgesleten stof van de tweezitsbank bij de leuningen, de vergeelde fotootjes van lelijke oude mensen... Thomas bekijkt de norse man die naast oma's stoel in een zilveren lijstje staat. De pukkel op zijn kale voorhoofd, de dunne lippen en de mondhoeken die omlaag wijzen...

Hij denkt aan meester Wilbert en de versleten lievelingsbroek en vraagt zich af: zou hijzelf deze man ook aardig kunnen vinden?

De stilte duurt lang en hij wordt nerveus omdat hij niks weet te zeggen en oma ook niks zegt; zij kijkt hem alleen maar vriendelijk aan. Thomas staart naar de grond, schuifelt met zijn voeten over de vloer, schraapt zijn keel en vraagt dan maar: 'Hoe was opa?'

– 1935 –

De dans van Sophie

Moeder Nienke kijkt haar oudste dochter glimlachend aan en knikt instemmend.

'Is deze jurk mooi?' vraagt Sophie – o, wat is ze nog jong. Zeventien pas, en toch al vrijwel klaar voor het huwelijk. Ze heeft haar eigen feestjurk genaaid, met de perfecte steken die ze zo precies van haar moeder heeft geleerd. Sophie is naaister geworden, en een goede bovendien. Willem heeft pasgeleden een baan gevonden als olieboer en hij verdient er een lekkere stuiver mee. Ze zouden dus kunnen trouwen...

'Zal Willem hem mooi vinden?'

Moeder Nienke knikt lief: vast en zeker zal Willem Sophie oogverblindend vinden, en dat is zij ook!

'Vind je mijn jurk mooi?'

Thomas' hart slaat over. Wat vraagt ze nu?

Het is een gele, met een lange rok eraan. Het lijfje is strak en de mouwen hebben een kanten pofje bij de polsen. Een prachtig lint om haar middel, en over haar haren draagt Sophie een hoofddoek in dezelfde kleur.

Er wordt op de deur geklopt en Willem stapt binnen.

'Hoi, hihihi,' giechelt Sophie. Thomas trekt zijn wenkbrauwen op.

'Dag moeder Nienke, dag lieve Sophie, wat zie je er prachtig uit.'

'Dankjewel, hihihi.'

'Dag Willem,' knikt Nienke.

Thomas glimlacht vrolijk – die Sophie! Zo te giechelen, dat doet Taleesa niet eens en die is een stuk jonger!

Hij zit op een wiebelige houten bank achter de tafel. Daar zitten normaal de twee kleinste meisjes te eten, omdat niet iedereen aan de eettafel past. Daar luisteren ze naar de verhalen die hun oudste broers en zussen vertellen, maar ze maken ook onderling grapjes en lachen daarom.

‘Zul je goed op haar passen?’ vraagt Nienke.

‘Ik verlies haar geen seconde uit het oog!’ zegt Willem.

‘Hihihi.’

‘Wees voorzichtig.’

Thomas schrikt. ‘Ja, voorzichtig,’ zegt hij, maar hij weet niet eens of het wel de bedoeling is dat hij antwoordt.

Met zijn drieën wandelen ze over straat. Thomas voelt zich net een klein broertje dat is meegestuurd om zijn oudere zus te controleren. Zij lijkt het normaal te vinden dat hij erbij is, maar Thomas voelt zich een beetje opgelaten.

Sophie heeft haar arm door die van Willem gestoken, maar lacht luid als hij vooruit rent, op de brugrand springt en roept: ‘Dames en heren, maakt u ruim baan voor onze lieve Sophie!’

Sophie giechelt, vanzelfsprekend, maar ook Thomas kan een lach niet onderdrukken. Willem doet alsof het bomvol mensen is, terwijl er heus niemand in deze straat loopt.

‘Aan de kant, aan de kant, hier is Sophie. Ziet zij er niet prachtig uit? De jurk is gemaakt van lichtgeel vanille-ijs dat met speciale technieken is ingedroogd, en zo, enkel en alleen voor deze bijzondere dame, een draagbare stof is geworden!’ Hij neemt zijn pet af en maakt een diepe buiging terwijl zij langsloopt.

Thomas ziet hoe Sophie verliefd zucht, hoe ze even haar adem inhoudt als Willem van de brugrand springt en haar zijn arm weer aanbiedt, zij steekt de hare erdoorheen. Zo lopen ze naar het dorpsplein, waar de dansavond is.

Thomas kijkt zijn ogen uit: iedereen, ie-der-een, heeft precies dezelfde scheiding in zijn haren die hij altijd naar oma moet. Overal streepjes witte hoofdhuid en strak gekamde haren die glimmen van de brillantine. Of de mannen nou rood, bruin of blond haar hebben, krullen of steil, ze hebben allemaal zo’n scheiding. Ook Willem heeft er een, links. De jongemannen lijken er blij mee, ze vinden dat ze er *mooi* uitzien!

Aan ronde tafeltjes zitten meisjes in verschillende jurken, de meesten in donkere, grijze of zwarte kleuren. Twee meisjes zwaaien naar Sophie en zij stapt lachend op hen af. Willem kijkt haar glunderend na. En Thomas? Die kijkt zijn ogen uit...

Twee uur later steekt Sophie opnieuw haar arm door die van Willem, die de deur voor haar openhoudt. Ze glimlacht naar hem maar slaat toch haar ogen neer.

'Heb je gezellig gepraat?' vraagt hij.

Sophie knikt.

'Waarover?'

Sophie giechelt.

'Aha,' lacht Willem. 'Ik snap het al, over mij zeker!'

Sophie giert het uit, maar knikt toch.

Pffft, denkt Thomas, zijn alle meisjes zó verlegen?!

'Nu hebben we niet gedanst,' zegt Willem.

'Nee, wat jammer...'

Maar nog voordat Sophie is uitgesproken, heeft Willem haar hand vastgepakt en legt zijn arm achter haar rug. Sophie schrikt ervan en bijna kukelt ze achterover, maar Willem heeft haar stevig vast en houdt haar overeind. Hij leidt haar een paar stappen naar achteren, naar links en naar rechts, terwijl hij zachtjes neuriet. Een langzame wals is het.

Met open mond staat Thomas ernaar te kijken. Ze zijn prachtig, zo in het maanlicht.

De warme glans op oma's wangen gloeit lang na. Haar rode oogjes blijven minutenlang waterig.

Goh, denkt Thomas, tien broers en zussen... Zouden het die mensen zijn, die op de vergeelde familiefoto's staan? Hij herinnert zich de vele plaatjes in zijn babyboek, waarop verschillende kale, al rimpelige mensen hem vasthouden met zo'n stomme grijns op hun gezicht. Zijn dat zijn oudooms en -tantes? Thomas heeft nooit naar hen gevraagd.

Zelf heeft hij geen broers of zusjes. Mama was daarvoor al te oud, zegt ze. Bovendien wilde ze niet meer kinderen, omdat ze bang was dat het haar carrière in de weg zou staan of zo. Ze doet iets met gezinnen van andere mensen, zijn moeder, Thomas weet niet precies wat. Hij had best graag een broer gehad, maar nog liever een zusje, met wie hij over Taleesa kon praten.

'Ik ben ook verliefd,' zegt Thomas. Het is eruit voor hij er erg in heeft.

'Jongen, wat heerlijk. Hoe heet ze?'

Geschrokken van zijn bekentenis, staart Thomas opnieuw naar de vloer. 'Taleesa. Je schrijft Taléésa, maar je zegt: Ta-lie-sa. Op z'n Engels.'

'Mooie naam, hoor. Is ze ook op jou?'

Thomas haalt zijn schouders op.

'Jongen toch, je moet haar wel vragen! Straks is iemand anders je nog voor!'

Een rilling loopt over zijn rug. Daar had hij nog niet aan gedacht.

Er loopt een jongen door de straten van Bromberg.

Hij ziet niet hoe een wandelaar vaart mindert wanneer hij komt aanlopen. Hoe deze persoon slentert, haast stilstaat, alsof hij verwacht dat Thomas Misha ook voor hem zal stoppen.

Thomas steekt zijn hand uit, maar dat doet hij slechts om de bladeren aan te raken van de struik die hij passeert.

'Hoi Thomas,' zegt de voorbijganger, maar Thomas is in gedachten verzonken en antwoordt niet.

De wandelaar is Marwin. Verbaasd kijkt hij Thomas na.

Thomas plukt een bloem uit een struik en ruikt eraan. Hij denkt aan zijn oma, en wat ze over Taleesa zei. Zal hij actie ondernemen? Zeggen dat hij verliefd is?

Verkering vragen, hoe doe je dat eigenlijk?

Thuis klaagt zijn moeder dat hij te laat van school komt en roept zijn vader dat hij geen verantwoordelijkheidsgevoel heeft – hij had het stoepje moeten vegen, maar Thomas Misha loopt zonder antwoord naar boven. Hij vergrendelt zijn kamerdeur met de oude houten keukenstoel en gaat op bed liggen. Wat papa aan zijn deur tegen hem roept, dringt niet tot hem door. Het morrelen aan de deurklink houdt vanzelf op.

9 *Trouw met mij, schone vrouwe!*

Gisteren heeft Thomas post gehad. De brief werd niet door de postbode bezorgd, maar door een jongen uit zijn klas.

Zijn moeder had de envelop aangenomen. 'Hij was zó beleefd!' kirde ze over de bezorger. Thomas zuchtte; het moet Marwin geweest zijn. Dat is de enige die geregeld langs Thomas' huis komt, de enige met het lef om hem onder de ogen van zijn ouders te treiteren. Papa en mama zoeken er niets achter, waarschijnlijk denken ze dat Thomas regelmatig post krijgt. Of, erger, dat de beleefde jongen een vriendje van hem is.

Zenuwachtig opende Thomas het pakketje. Er stond:

Op de klassenavond.
Lekker kussen, Thomas.
Maar niet met Taleesa.
Ha ha ha.

Een molensteen zakte in zijn maag. Die is de hele nacht blijven liggen en die zit er nu nog steeds. Met lood in zijn schoenen loopt Thomas naar school. Hoe weet Marwin dat hij op Taleesa is? Wat gaan ze doen? Wat hebben ze nu weer voor rotstreek bedacht? Hij laat zijn schouders hangen. En dat nog wel op de avond dat hij Taleesa wil vragen...

Op het schoolplein klinkt het gebruikelijke geschreeuw van alle groepen door elkaar. Maar er is nog iets..., een geluid dat hij kent, maar niet eerder op deze manier heeft gehoord. Het is een hoog maar boos geluid, het klinkt dwars door het overbekende gemene lachje van Marwin en zijn makkers. Duidelijk een meisjesgeluid, het is... Taleesa! Thomas begint te rennen. Wat gebeurt er? Wie pest haar?

'Geef terug!' roept ze.

Een klein groepje staat om Taleesa heen, steeds meer kinderen komen kijken wat er aan de hand is. Natuurlijk staan Marwin, Ray en Aram erbij. Met de bekende stomme grijns op zijn gezicht houdt Marwin een stapeltje kopieën vast. Taleesa probeert die af te pakken, ze kijkt ontzettend boos. Wat is het?

'Daar heb je Thomas!' schreeuwt Aram opgewonden.

Thomas hijgt van het rennen. Hij ziet hoe sommige klasgenoten elkaar aanstoten, beginnen te lachen.

'Daar komt je ridder, Taleesa,' lacht Marwin. 'Hij is laat, vind je niet?'

'Wat is er aan de hand?' Maar dan ziet Thomas het al. Op de blaadjes staat... het hart dat hij in zijn schrift had getekend. Met de twee T's, en de hartjes en bloemetjes bij die van Taleesa. Marwin heeft het gekopieerd en er *Thomas* en *Taleesa* onder geschreven, Thomas kent zijn handschrift maar al te goed. Hij ziet hoe een paar kinderen giechelend aan anderen vertellen wat er aan de hand is. Wat moet hij doen? Hij wordt nog de pispaal van de hele klas! En Taleesa ook!

'Ik heb geprobeerd hem tegen te houden,' zegt Taleesa, 'maar deze eikel...'

'Taleesa is op Thomas, Thomas op Taleesa,' begint Marwin. Oei, als er niet snel wat gebeurt, staat straks het hele plein te zingen. In een flits van een seconde neemt Thomas zijn beslissing, hij heeft niet de kans er goed over na te denken maar ineens hoort hij zichzelf roepen: 'Inderdaad!'

Alsof hij zonder microfoon op een podium staat, zo hard praat hij.

Hij valt op zijn knieën en steekt zijn hand uit naar Taleesa. 'Trouw met mij, schone vrouwe.' Iedereen kijkt hem verbaasd aan, Taleesa begint te giechelen. 'Wij houden toch van elkander?'

'Inderdaad,' zegt Taleesa lachend – ze werpt een boze blik naar Marwin.

Thomas staat op, klopt het stof van zijn broek en steekt zijn arm door die van zijn 'vrouwe'. 'Als jullie het niet erg vinden, hebben wij wel wat beters te doen.' Met grote, theatrale stappen leidt hij Taleesa uit de kring.

Sommige meisjes beginnen met Taleesa mee te lachen.

Marwin kijkt hen verbaasd na. Hij ziet er sullig uit met die slappe stapel blaadjes. Ray vergeet zijn mond te sluiten en ook Aram laat zijn mond wagenwijd openhangen, het is geen gezicht.

Thomas zweet onder zijn kleren: de allereerste woorden die hij ooit tot Taleesa richtte, waren meteen een huwelijksaanzoek. Toch glimlacht hij. Hij moet in zijn rol blijven, iedereen kijkt nog naar hem, hij mag nu niet ineens met een rood hoofd gaan stotteren.

Bij de struikjes plukt hij een grote bloem. Maar die wil niet lekker loskomen. Hij trekt er steeds harder aan, de takjes bewegen mee, maar de bloem zit nog altijd vast.

Taleesa giechelt, Thomas lacht ook. Ondertussen staat hij aan het ding te sjorren, de hele struik gaat heen en weer. De meisjes die op afstand staan te kijken, lachen terwijl Thomas doet alsof hij in gevecht is met een gevaarlijke draak. Uiteindelijk rost hij een tak van de struik. Hij geeft Taleesa het hele ding en buigt erbij als een hoofse ridder.

'Dank je.' Taleesa zakt een stukje door haar knieën als ze de bloem beminnelijk in ontvangst neemt.

Thomas kijkt haar aan. Hij fluistert: 'Kijkt Marwin nog?'

'Ja,' knikt ze.

'Shit.'

Taleesa giechelt.

'Zullen we dan maar een spelletje doen?'

'Oké. Weet jij iets?'

'Mmm.' Thomas denkt na en imiteert hun meester Wilbert zoals die altijd met zijn vingers langs zijn kin strijkt als hij denkt.

Opnieuw schiet Taleesa in de lach en Thomas' wangen gloeien als trotse kooltjes. Dit is veel leuker, denkt hij, dan op een afstandje verlegen te doen! In gedachten zoekt hij naar de spelletjes waarover zijn oma hem een tijdje geleden heeft verteld.

'Even kijken... een zeepkistenrace zal zo snel niet lukken, hoepelen gaat me te ver, tollen moet je eerst leren. Bikkelen is voor meisjes, pinkelen voor jongens...'

Even doet hij alsof hij een antwoord heeft; hij steekt zijn vinger in de lucht en Taleesa trekt haar wenkbrauwen op. Maar dan schudt hij zijn hoofd en legt zijn vingers tegen zijn kin. 'Mmm...'

Taleesa lacht.

'Trefbal doe je met meer mensen,' zegt Thomas. 'Diefje-met-verlos ook. Vliegeren is leuk maar dan moet je wel zo'n ding hebben...'

'Thomas?'

'Ik ben er bijna uit, nog héél eventjes maar.'

'Wat zijn dat voor spelletjes?'

'Leg ik je later uit, als je wilt, dan leer ik je hoe het allemaal moet.'

Taleesa's vriendin Astrid komt aanlopen. 'Wat doen jullie?' vraagt ze.

'Thomas en ik gaan een spel doen zolang iedereen ons nog

aanstaart. Maar we kunnen niet zo goed kiezen wat we zullen spelen.'

'O?'

'Thomas kent allemaal rare spelletjes.'

'Geen vieze hoor, geen vieze!'

Taleesa en Astrid lachen. Thomas ook.

'Ik heb het. Laten we lekker ouderwets bokjespringen.'

'Wil je dat?'

'Vinden jullie het leuk?'

'Ja zeker,' zegt Astrid, 'maar de jongens willen nooit meedoen.'

'Dan zijn de jongens stom,' zegt Thomas. 'Ik ga wel staan, mogen jullie springen.' Hij buigt. Hij buigt zo ver, dat hij uiteindelijk door zijn knieën zakt en op zijn hurken terechtkomt, met zijn handen op de vloer.

'Hoger,' zegt Taleesa.

Astrid wenkt ondertussen de andere meisjes dat ze moeten komen.

Thomas gaat hoger en dan weer laag, hoger en weer lager. 'Ik ben een achtbaan-bokje,' zegt hij.

'Stilstaan,' zegt Astrid.

Thomas staat stil. Hij buigt als een heuse prins en zegt: 'Spring maar, dames.'

Taleesa neemt een aanloop.

Marwin gooit de blaadjes met het verliefde hart in de prullenbak. Ray en Aram volgen hem naar binnen.

Thomas veegt zweetdruppels van zijn voorhoofd.

10 *In het keukenkastje staan pijnstillers*

'Oma, oma!' Thomas staat op de ramen van de voorkamer te bonzen. Hij ziet hoe langzaam zijn oma door haar kamer schuifelt, ook al lacht ze en doet ze alsof ze zich haast. Eindelijk gaat de deur open. Thomas stuift naar binnen. 'Ik had ze te pakken, oma!'

'Wie?'

'Marwin en die stomme Ray en Aram die mij altijd pesten. Maar ik had ze te pakken, haha!'

'Word je gepest?'

'Ze hadden mijn schrift gestolen toen ze me in de wc's de spiegel lieten boenen met mijn tong, en daardoor wisten ze dat ik verliefd ben, maar hij moest de blaadjes weggooien, haha, niemand wilde ze nog!'

'Met je tong de spiegel boenen?!'

'Ik heb gewonnen!'

'Wat heerlijk, kind,' besluit oma te zeggen. 'Wil jij me helpen iets te pakken? Boven in het keukenkastje staan pijnstillertjes, want ik heb me gestoten toen ik over het drempeltje struikelde en nu–'

'Mag ik op de kruk gaan staan? Ha, daar heb ik ze al!'

'Dank je, lieve schat.'

'Is het goed als ik mama even bel? Ze wordt boos als ik dat niet doe, de vorige keer hield ze er niet meer over op. Ik moet klussen doen omdat ik daarmee geld verdien en ik heb zelf gezegd dat ik het wil om spellen te kopen.'

'Jongen, wat een wervelwind ben jij!'

'O… moet ik stil zijn?'

'Welnee, alsjeblieft niet. Dus jij verdient je eigen geld? Dat is belangrijk, hoor je, het is vreselijk om arm te zijn. Help je me even naar mijn stoel? Dank je lieverd, ga jij ook lekker zitten. Wij zijn arm geweest, zo afschuwelijk arm, luister maar…'

– 1944 –

Aardappelsoep met schillen

Weet je wat jij bent?
Mijn allerliefste vent!
Je bent mijn allerliefste
Aller-, ALLERliefste
Ook al ben je zoveel jonger
En al schreeuw je van de honger
Deze moeder-de-vrouw
Houdt zóveel van jou!

Mijn man Willem lacht naar me, hij vindt het fijn als ik rijmpjes verzin voor onze lieve kleine. Zolang ik voor hem zing, houdt hij even zijn mond, maar zodra ik stop, zet hij het weer op een schreeuwen. Hadden we maar meer melk voor onze hongerige kleine Kees. Buurman Jansen geeft me soms een bon om een extra portie te halen. Hij zit bij de NSB en kan daarom gemakkelijker aan voedselbonnen komen. De reden dat wij deze krijgen, is vooral dat kleine Kees dan even stil is, want ook buurman Jansen wordt gek van het gekrijs.

Eigenlijk zou ik ze moeten weigeren, het is tenslotte moffenwaar. Buurman Jansen is fanatiek, godzijdank zijn wij geen joden. Als je baby maar lang genoeg huilt, neem je vanzelf zijn hulp aan, geloof me.

Willem heeft constant een rode neus en over zijn wangen lopen blauwe adertjes, maar hij is dapper en zegt dat de kou hem niet kan deren. Kleine Kees ligt in Willems jas, daar is het warm. Als hij slaapt, schreeuwt hij tenminste niet.

De meisjes op de fabriek klagen dat het in hun huizen ook zo koud is. Hout voor kachels is onbetaalbaar geworden en in de bossen kunnen we niets meer vinden. Ondanks de oorlog draait Verkade door. Gelukkig maar, als ik ook mijn werk zou kwijtraken, moest ik net als de rest op straat bedelen voor eten. Wie weet hoe lang het dan nog duurt voordat ook ik aan mijn hoofd ga krabben van de luizen en in mezelf ga praten als een karrenvrouwtje? Gisteren ben ik uitgegleden en heb ik mijn ribben gekneusd. Geen haar op mijn hoofd overweegt thuis te blijven van mijn werk. Ik vertrek gewoon wat vroeger, dan kom ik ook op tijd.

Vanavond hebben we geluk, er zijn vier aardappelen. Daarvan maak ik heerlijke soep en de schillen doe ik erdoorheen. Morgen kunnen we de gekookte aardappelen eten, dus we zijn even uit de zorgen. De geur die opstijgt uit de borrelende pan doet ons glimlachen naar elkaar. Voor eventjes zijn we weer gered. We eten er met zijn zevenen van, weet je.

Mijn lieve Willem en ik, maar ook buurman Jansen en zijn vrouw eten een bordje mee – het is de enige manier om hen te bedanken en helaas neemt hij onze dank aan… Onze Kees krijgt een beetje kookvocht door zijn poedermelk, maar dat is zo weinig, die telt niet. Aan onze andere kant woont de weduwe Aletta. Zij krijgt vanavond één portie, maar vannacht, als de avondklok al heeft geklonken, sluip ik naar haar toe om nog twee porties te brengen.

Aletta heeft onderduikers. Een jong stel is het, ze kunnen nergens heen. Niemand mag het weten, zelfs mijn eigen lieve Willem weet niet naar welke deur ik elke nacht vertrek. Het is beter dat zo min mogelijk mensen zich kunnen verspreken. Als de weduwe en haar jonge stel werden afgevoerd, zou ik doodgaan van ellende.

Gisteravond ging het bijna mis. Met mijn pannetje was ik naar hiernaast vertrokken en ik heb keurig gewacht tot het leeg was en buurvrouw Aletta het voor me had afgewassen. Tenslotte is het verdacht om met een vuile pan over straat te gaan. Als ze me oppakken, snappen ze direct dat ik ergens eten heb gebracht.

Mijn smoes voor 's nachts buiten lopen is: 'Ik kon niet slapen en herinnerde me dat ik nog een pan moest ophalen; ik ben gaan kijken en zag dat de pan buiten voor me was klaargezet, dus heb ik hem meegenomen.' Maar erg sterk is die niet. Als ze me geloven, word ik de eerstvolgende maanden zeker extra goed in de gaten gehouden. Dat zou een ramp betekenen voor buurvrouw Aletta. Het beste is het, als niemand me ziet.

Toen ik door de heg naar onze achtertuin wilde stappen, zag ik plots het lichtpuntje van buurman Jansens sigaret oplichten. Mijn hart stokte in mijn keel. Ik slaakte geen kreet, en godzijdank bleef ik overeind staan, maar ik heb me zeker vier tellen als verlamd gevoeld. Ik kon geen kant op, kreeg kramp in mijn kuiten, maar heb toch net zolang gewacht tot ik de achterdeur van buurman Jansen hoorde dichtslaan. Toen kon ik naar binnen.

Willem hield me stevig vast. 'Wat bleef je lang weg, ik dacht dat je was opgepakt,' zei hij. Er stonden tranen in zijn ogen.

In zijn zak houdt Thomas zijn vijfje stevig vast. Hij heeft eigenlijk altijd geld in zijn zak zitten, mama wil graag dat hij iets bij zich heeft voor noodgevallen. Niet eerder stond hij erbij stil hoe fijn het eigenlijk is dat hij dat vijfje heeft.

Thomas heeft oma gedag gezegd en loopt naar huis. Hij zou zich moeten haasten, want zijn ouders zijn straks waarschijnlijk briesend boos. Maar hij is te diep in gedachten.

Meester Wilbert vindt het hoogst interessant dat Thomas een echte rol speelt in de verhalen van oma. Maar vandaag was dat niet zo, vandaag ging het alleen om haar, zestig jaar geleden. Thomas heeft slechts geluisterd, maar toch was het wéér alsof hij erbij was. Hij zag de sigaret oplichten, en voelde de kramp in oma's benen terwijl ze gespannen wachtte tot de buurman zijn huis zou binnengaan.

Het is niet alleen dat oma goed kan *vertellen*, zoals meester Wilbert denkt. Het is meer en Thomas heeft eindelijk bedacht wát: namelijk het feit dat hij kan *luisteren*. Oma kan praten wat ze wil, maar als hij geen zin of tijd heeft om haar te horen, komt hij niet in het verhaal. Daarvoor moet hij tijd nemen, geduld hebben en zich inleven. Dat is het verschil, daarom is er zoveel veranderd.

Mama zal straks wel roepen dat ze ongerust is geweest en dat Thomas naar huis had moeten bellen, maar hij–

Plots stokt zijn adem...

Daar staat Marwin. Het zweet breekt Thomas uit. Hoe komt die hier, waar is hij eigenlijk heen gelopen?! Heeft Marwin hem gezien? Hij moet weg, een andere kant op, uit de buurt komen.

Thomas slaat linksaf, rechtsaf, steekt over, rechtsaf, weer links – haastig beent hij voort, zonder te denken, zonder achterom te kijken, zonder te kijken waar hij is.

Dan, ineens, ziet hij het.

Opnieuw stokt zijn adem, maar dit keer maakt zijn hart een sprongetje. Die deur, die gevel, het bordje aan de muur... het is... de snoepwinkel uit oma's verhaal. Die bestáát nog!

11 *Doe maar van alles wat*

De winkel ziet er precies zo uit zoals oma had beschreven: een smal huisje in een kort klinkerstraatje, waar verder een paar bredere woningen staan. Achteraan, waar het dijkje begint, is zelfs een boerderijtje. De bakstenen zijn donkerbruin en rood, maar ook lichtgeel en wit. Zo'n vrolijke kleurstelling aan de buitenkant, dat belooft wat voor de binnenkant! Er zit nog glas-in-lood in de ramen, net als bijna honderd jaar geleden. De kozijnen zijn oudroze geschilderd. Het huisje is net een klein – maar chic – suikertaartje.

Langzaam, vol verwachting, loopt Thomas eropaf.

'De soete suikerbol' heet het winkeltje, dat staat op het roestige uithangbord dat heen en weer swingt in de wind. Thomas glimlacht; misschien schreven ze vroeger 'zoet' met een 's', dat weet oma wel.

'Tingelingeling!' doet het belletje boven de deur. Thomas glimlacht, zijn binnenste bruist, zo spannend vindt hij het om de winkel binnen te gaan.

'Vollek!' roept Thomas zoals Sophie vroeger deed.

De winkelbediende stapt uit een kleurloos en stoffig hok. Thomas lacht breed, maar dan valt zijn mond open. Uit het hokje stapt een vrouw. En wat voor een – ze lijkt wel een stripfiguur! Een heldin uit de games! Wauw! Ze heeft lange rode haren die bij elke stap over haar schouders golven. Haar lippen zijn knalrood gestift en – o nee, ze zijn rood van de zuurstok waar ze op sabbelt! Ze moet haast even oud zijn als mama, maar allemachtig, wat een verschil!

Goedemiddag, beste jongen,
Heb ik jou al toegezongen
Over honingdrop en kiezelstenen
Of suikerzoete edelstenen,
Zoals babbelaars en boterbonen
Zoute lappen voor de zonen
De meisjes krijgen katjesdrop
Met framboosjes er nog op
De toverballen en citroenen
Zijn heerlijk en ook om te zoenen
Dus zeg mij, smulpaap van formaat
Waarvan raak jíj niet uitgepraat?

Met een brede, rode lach legt de vrouw haar hand op de toonbank. 'Zo, dat is eruit,' zegt ze. Je kunt zien dat de zuurstok zelfs haar tanden heeft gekleurd, zo breed lacht ze. 'Zeg het maar.'

Thomas knippert met zijn ogen, maar hij krijgt ze niet dicht. Ook zijn mond staat wagenwijd open.

Potverdrie, denkt hij, potversnotverdrie!

Op de planken staan, net als vroeger, stopflessen met allerhande snoep. Hij leest: *bico's, trekdrop, dropstaafjes, laurierschijfjes, fjordenmix, kiezelstenen, fudge, salmiakhart, toverballen, grote citroenen, haverstro* en *laurier-kussentjes*. En dat is pas één van de vier stellingkasten!

Op de toonbank staat een pot stroopsoldaatjes. Vijftig cent per stuk. Zo, dat was vroeger genoeg om een hele kast te kopen! Er staan spekkies, salmiakknotsen, laurierstaafjes en lolly's...

In zijn broekzak voelt Thomas het vijfje. Hij twijfelt. Als het op is, moet hij aan mama vertellen wat hij ermee heeft gedaan. Maar heeft hij de laatste maanden ooit iets voor zichzelf gekocht? Zonder toestemming? Waarom zou hij altijd maar het goede doen?

Hij haalt diep adem en de zuurstokkenmond glimlacht vriendelijk terug. Dan zegt hij: ‘Doe maar van alles wat: amandelbonen, kandijknotsen, hete bliksem, pepermuntschijfjes, colasleutels, drop jojo’s, polkabrokken en gevulde ananas. Ik wil pindabrokken, zwart-witjes, gemengde zuurtjes, honingdrop, zijde bonbons, vruchtenhartjes,’ hij moet even adem happen, ‘ulevellen, haknougat en salmiakdragees.’

‘Zozo,’ lacht de vrouw.

‘Ik heb een vijfje, dat mag helemaal op.’

‘Wat fijn, ben je soms jarig?’

Thomas knikt. ‘Zoiets.’

Met een volle papieren puntzak onder zijn arm, tot het uiterste gevuld, rent Thomas door de straten van Bromberg. Hij heeft ditmaal geen moeite met rennen, de opwinding geeft hem vleugels. Hij heeft hem gevonden, de snoepwinkel van oma! Wat zal ze blij zijn! Het snoep is voor haar, omdat zij vroeger nooit wat kon kopen. Wat fijn!

Als hij heel, heel hard rent, en maar héél eventjes bij Sophie blijft, dan lukt het misschien om niet langer dan anderhalf uur te laat thuis te zijn.

‘Oma!’ roept hij al aan het begin van de straat. ‘Oma, kijk eens wat ik heb!’ Hijgend drukt hij op de bel en ongeduldig wacht hij tot eindelijk de deur opengaat.

‘Wat is er?’ vraagt ze, terwijl ze binnen de sloten van het slot draait.

‘Het is ongelooflijk!’ roept Thomas door het glas heen, dat wazig is gemaakt zodat niet iedereen naar binnen kan kijken.

Oma hoest. ‘Bijna klaar, jongen.’

Thomas duwt de deur open en hij gilt zijn oma zowat doof: ‘De snoepwinkel BESTAAT nog! Is het niet FANTASTISCH?! Ik heb kandijknotsen, nougatblokken, ulevellen en nog veel meer. VOOR JOU! Ben je er blij mee, oma, is het niet geweldig? Oma? Oma...?! Wat is er?!'

'Ik ben gevallen, schat,' zegt oma zachtjes. 'Help me maar even naar binnen.'

'Jeminee, val jij de hele dag of zo?'

Oma lacht. 'Het gebeurt inderdaad steeds vaker, schat. Kom hier en help me even, wil je?'

Thomas legt zijn arm om de kleine, oude Sophie heen en laat haar op zijn schouders steunen. Zachtjes fluistert hij: 'Amandelbonen en polkabrokken, maar ook hete bliksem en drop jojo's. Die vind jij toch zo lekker?'

'Vroeger wel, schat, vroeger wel.'

'Je hoeft ze niet te stelen, ik heb ze voor je gekocht!'

'Wat heerlijk, dankjewel.'

'Maar nu moet ik naar huis, want papa en mama zijn vast boos.'

'Ga maar gauw, lieverd, en bedankt hoor.'

'Dag!'

De blauwe plekken op haar benen heeft hij niet gezien, net zomin als de schaafwond op haar rug.

'Dag schat.'

Snel als de wind rent Thomas naar huis. Hij springt over vluchtheuvels, hopt op stoepranden en af en toe maakt hij gewoon zomaar een sprong in de lucht. Straks krijgt hij straf, maar dat kan hem niks schelen. Hij heeft de snoepwinkel ontdekt! Hij heeft lekkers voor Sophie gekocht, van het vijfje dat al wekenlang doelloos in zijn zak zat! Mama zal de 'ongerust-preek' houden, papa begint vast te dreigen dat het nooit wat wordt met hem, maar het kan hem niet schelen.

Thomas rent zo gehaast door de straten – hij merkt niet dat hij langs Marwins huis rent. En dat Marwin hem binnen, vanaf de bank, verbaasd nakijkt. Gelukkig maar, anders moest hij zich óók nog zorgen maken over wat Marwin met hem zou doen!

12 *Alles bestond al voordat hij er was…*

'Ben jij nog hier?!'

Thomas doet zijn ogen open. 'Wat?' Hij kijkt op zijn wekker, het is 8.18 uur. 'Fuck!' gilt hij.

'Schiet op!' zegt zijn moeder streng. En als Thomas langs haar naar de douche sprint: 'Zulke taal gebruiken we hier niet.'

'Sorry!' Thomas trekt zijn pyjamajasje over zijn hoofd en gooit het op de grond.

'Heb je al kleren uitgezocht?'

'De oorlogsbroek met mijn nieuwe Doggyshirt!' galmt Thomas' stem boven het klaterende geluid van stromend water.

'Draag je die nog steeds?!'

'En ik wou vandaag de tekening meene–' Geschrokken houdt Thomas zijn mond. Hallóóó, is hij zó slaperig dat hij zich verspreekt?! Shit, mama heeft hem al gevonden.

'O, wat een mooie! Een Chinese ridder die een donkere schone redt uit een kolkende poel.'

Thomas grist de plaat met natte handen uit die van zijn moeder.

'Dat is een freefighter.' Hij moffelt hem onder zijn bed – die is nu zo nat geworden, dat hij onbruikbaar is. Daar zal hij later van balen, maar nu telt voor hem alleen dat zijn moeder niks mag weten.

'Ik stop papa's mobiel in je rugzak,' zegt mama. 'We hebben het besproken, en we willen graag dat je bereikbaar bent voor ons.'

'Oké.'

‘Het kan gebeuren dat een klant van papa belt, dan moet je maar uitleggen dat jij vandaag de mobiel hebt. Morgen krijg je een eigen. Tijdens de les moet je hem uitzetten, hoor je?’

‘Goed.’

‘Waar ben je toch mee bezig, lieverd? Waarom kom je niet meer meteen naar huis?’

‘Niks!’

‘Je kunt ons ook bellen als er iets is. Dat weet je, hè? Thomas, is er iets?’

‘Nééhee.’ Hij propt zijn voeten in zijn gympen. ‘Klaar, we moeten gaan!’

In de auto krijgt hij een appel en mama heeft ook een pakje drinkyoghurt voor hem meegenomen.

‘Thomas, daar ben je eindelijk,’ zegt meester Wilbert.

‘Sorry,’ fluistert Thomas.

‘We hebben de laatste vergadering voor de klassenavond. Iedereen zit bij zijn eigen afdeling. Het Ministerie van Versieringen zit daar.’

‘Ja.’

‘Hé, Thomas,’ brult Marwin. ‘Je was zeker zo moe van het rennen!’

Thomas vergeet met zijn ogen te draaien en trekt zijn wenkbrauwen op: hoe weet Marwin dat hij gisteren de longen uit zijn lijf heeft gerend? Heeft Marwin hem gezien? Thomas hem anders niet…

‘Je moest zeker naar je liefje,’ roept Marwin nog, voordat meester Wilbert zegt dat-ie zich met zijn eigen zaken moet bezighouden.

Ray en Aram lachen, maar het grapje is ondertussen zo afgezaagd, dat de rest van de klas alleen maar zacht zucht.

Thomas knikt vriendelijk naar Taleesa. Zij lacht haar tanden bloot. Thomas gaat zitten, net op tijd voordat hij vanzelf zou flauwvallen. In de groep heeft niemand gemerkt hoe verliefd hij nog altijd op haar is, het is alleen maar erger geworden.

Taleesa heeft goede ideeën en die kan ze ook zo leuk vertellen. Het was bijvoorbeeld haar idee om een 'ruilbeurs' in te stellen: kinderen die geen verkleedkleren kunnen maken maar wel leuk haren kunnen vlechten of zo, die bieden hun kunsten aan in ruil voor een mooi griezelig kledingstuk.

Nu heeft Lisa voor Adnan bedacht dat hij wel als weerwolf kan komen, in ruil daarvoor heeft Adnan voor Lisa een koninginnekroon meegenomen uit de winkel van zijn oom – zij komt namelijk als boze stiefmoeder. Lisa was daar zo blij mee dat ze Adnan haar harige, wollen handschoenen uitleende. Op zijn beurt nam Adnan een mooie ketting voor Lisa mee en nu, nou ja, nu zijn ze dus de beste vrienden.

Thomas heeft vurig gehoopt dat Taleesa óók iets nodig had van de ruilbeurs. Hij zou het dan meteen, als eerste, aanbieden, maar helaas vroeg Taleesa nergens om.

Hoe hij zich zal verkleden weet Thomas nog niet eens. Hij heeft alleen nog aan vroeger gedacht, aan snoep en aan de donkere hoek waarin hij Taleesa verkering zal vragen. Die komt er. Zijn mond krult vanzelf en zijn buik trekt samen als hij denkt aan de liefdesplaats, die naast het bord van de meester komt. Wat hij aanheeft zal niet veel uitmaken, want de kans is groot dat Marwin zijn kostuum al heeft verpest voordat Thomas binnen is. Nee, het gaat om dat hoekje waar niemand hem kan zien. Daar zal het gebeuren.

Toen hij naar bed ging, was hij best moe, al was het alleen van het rennen. Maar toch kon hij niet slapen. Tot diep in de nacht kwamen de verschillende stopflessen met ouderwets snoep op zijn netvlies. Hoe is het mogelijk dat zo'n oude winkel nog bestaat?! Die is wel... *tien* keer zo oud als Thomas!

Die nacht drong tot hem door dat alles al bestond, lang voordat *híj* er was. De straten, de kerktoren die elke zondag zoveel lawaai maakt. De bomen en de gebouwen – winkels, cafés en restaurants... Het dorpsplein is eeuwenoud, daar hebben zoveel mensen overheen gelopen. Papa en mama bestonden al, oma had er zelfs al een heel leven opzitten met huwelijk, kinderen, oorlog en alles. Zelfs meester Wilbert had al veel meegemaakt toen Thomas werd geboren. Hoe-is-het-mogelijk...

Hij schrijft: 'Ik wil je binnenkort iets laten zien', scheurt het blaadje uit zijn schrift en schuift het naar Taleesa. Dat Ray zijn bewegingen nors en brutaal volgt, heeft hij niet eens in de gaten.

Taleesa leest het, kijkt hem aan en knikt. Het is maar goed dat hij stevig op een stoel zit...

13 *In zijn hoofd spatten zeepbelletjes uit elkaar*

'Zie je niks?' vraagt Thomas. 'Echt niks?'

Taleesa giechelt. Natuurlijk ziet ze niks, Thomas houdt zijn handen voor haar ogen.

Samen zijn ze uit school naar het centrum gelopen. Thomas kocht een cola voor hen, van het laatste geld dat in zijn zak zat. Eén cola met twee rietjes. Ze deelden het flesje terwijl ze langs de winkels struinden. In Thomas' hoofd borrelden alsmaar belletjes omhoog – hij kon niet denken en niet praten, alleen maar lachen en genieten.

Hij leidde hen naar links en rechts, weer naar rechts en toen weer verder links. Het flesje was leeg, toen hij ineens achter Taleesa ging staan en zijn handen over haar ogen legde. Zo liepen ze een straatje in. Het was niet gemakkelijk omdat Taleesa een paar centimeter groter is dan Thomas, maar als je verliefd bent, hoeft niet alles simpel te zijn. Lacherig zet Taleesa stap na stap, steeds dichter bij de winkel.

'Oké, diep ademhalen,' zegt Thomas.

Taleesa haalt diep adem.

'Zet je schrap.'

Taleesa spant haar spieren.

'Tadááá!!!' Thomas haalt zijn handen van haar gezicht.

Taleesa kijkt, lacht, en kijkt weer. 'Een snoepwinkel?'

'De winkel van mijn oma!'

Hoewel Taleesa nog altijd lacht, trekt ze toch haar wenkbrauwen op.

'Kom mee naar binnen.' Hij pakt haar hand.

Goedemiddag, lieve meid,
Hou jij ook van zoetigheid?
Van honingdrop en kiezelstenen
Of suikerzoete edelstenen,
Zoals babbelaars en boterbonen
Zoute lappen voor de zonen
De meisjes krijgen katjesdrop
Met framboosjes er nog op
De toverballen en citroenen
Zijn heerlijk en ook om te zoenen
Zeg mij, kleine zoetekauw
Welk snoep wordt het voor jou?

Tevreden kijkt de verkoopster van Taleesa naar Thomas.

'Is dat je vriendinnetje?'

Geschrokken haalt Thomas zijn schouders op, zijn hoofd rood als een framboosje.

'Leuke meid, hoor, goeie keus!' De vrouw lacht een brede lach, je kunt zien dat ze drop aan het snoepen was. Tegen Taleesa zegt ze: 'Je boft maar met zo'n mooie vent!'

Taleesa knikt. 'Hij wilde me deze winkel laten zien.'

'O ja?'

Nog altijd staart Thomas naar zijn voeten. Hij knikt verlegen, maar haalt tegelijk zijn schouders op.

'Kom maar achter de toonbank,' zegt de vrouw. 'Ik zal je door het hele gebouw leiden.' Terwijl ze Taleesa mee naar achteren neemt, sist ze tegen Thomas: 'Ze vindt het heus leuk, kom nou maar mee!'

De zuurstok die ze kreeg, heeft Taleesa in haar staart gestoken. Ze sabbelt aan de enorme lolly die Thomas voor haar heeft gekocht.

'Superleuk!' zegt ze en ze lacht. 'Wat een aardige vrouw!'

'Ja hè?'

'Mooie winkel!'

'Ja hè?'

'Veel leuker dan die stomme fiets van Marwin.' Ze bijt een stukje van de bovenkant en knabbelt luid.

Thomas kijkt op. 'Fiets van Marwin?'

'Pasgeleden moest ik per se mee om zijn fiets te zien, maar hij bleef steeds rondjes rijden en ik moest toekijken, vond ik niks aan.' Taleesa rolt met haar ogen. 'Een paar dagen later kwam-ie ineens met die tekening van jou aanzetten.'

'O?!' Met open mond loopt Thomas naast haar. Hij herinnert zich heel goed dat zijn liefdeshart op het schoolplein werd uitgedeeld en ook hoe hij ternauwernood zijn leven had gered. Maar waar hij nooit bij heeft stilgestaan is... dat Marwin óók verliefd was!

Dat Marwin verliefd kán zijn! Zo'n pestkop! Als dat zo is, dan is Thomas' triomf vele malen groter dan hij wist! Wat moet Marwin gebááld hebben, haha!

Taleesa bijt het puntje van de lolly af en zegt met volle mond: 'Ik vind het veel leuker dat jij mijn vriendje bent.'

Gloep – meteen is Thomas vuurrood. Hij schraapt zijn keel. 'Ben jij dan nu mijn vriendinnetje?'

De lippen van Taleesa zijn knalrood van de lolly. 'Tuurlijk!' Ze beukt haar elleboog in Thomas' zij. 'Gekkie.'

Thomas lacht. Zijn buik borrelt als de ketel van een tovenaar. Een rilling siddert langs zijn rug. In zijn hoofd spatten zeepbelletjes uit elkaar. Wat moet hij nu doen? Zijn arm om haar heen? Kussen?

Dan klinkt het: 'Tattaratááá Tetteretèèè!'

Dat is Thomas' nieuwe telefoon. Shit, hij is ineens niet meer blij met een eigen mobiel. Dat zijn moeder nu net op dit moment moet bellen!

'Ja...?' zegt Thomas.

'Hé eikeltje, morgen is het feest, jongen, dan zal jij eens lekker dansen, hahaha!' En de verbinding wordt verbroken.

Thomas laat zijn schouders hangen. Zijn moeder heeft Marwin het nummer doorgegeven. Verdorie... Als hij morgen voor de hele klas voor gek staat, wil Taleesa dan nog wel zijn vriendin zijn?

'Is er iets?' Taleesa knabbelt op een nieuw stuk lolly.

Thomas schudt zijn hoofd. 'Verkeerd verbonden.'

Het negende level van *NimfoBattle* is niet gemakkelijk. Het is zeker de twintigste keer dat Thomas de doodlopende steeg in gaat. Dan komt er een harige spin van de muur naar beneden, recht op hem af en die steekt hem dood. Maar als Thomas omdraait en terugrent, dan wordt hij door drie mummies opgewacht en die bijten hem óók dood. De muren zijn te hoog om overheen te springen. Hij schiet zich het apenzuur, maar de kogels ketsen af op de spin. Wacht, misschien kan hij terugrennen, halverwege springen en dan grijpen naar een van die haken die aan de winkelpui hangen...

Thomas concentreert zich matig. Hij wil het niet, maar de hele tijd speelt een filmpje in zijn hoofd over de klassenavond. Thomas en Taleesa komen samen binnen, maar daar wordt Marwin zó boos over, dat die hem grijpt zodra Thomas een drankje pakt of naar de wc gaat. Thomas moet een tutu aan, zo'n ballerinarokje, en Marwin knoopt een theedoek om zijn hoofd. Dan moet hij naar binnen en op de muziek de ramen lappen. Het schoolbord is het raam, de bordenwisser is de zeem.

Hoewel de kinderen geschrokken kijken, durft niemand iets

te doen. Taleesa ziet zo bleek, dat ze haast geen Surinaamse meer lijkt. Ray en Aram en Marwin lachen, lachen, lachen…

Nog voordat hij eindelijk mag ophouden met deze vreselijke vernedering, heeft Taleesa de verkering uitgemaakt. Vanaf nu gaat ze toch maar met Marwin.

14 *Jij bent helemaal niet zo groot*

Thomas kijkt naar zijn boomhutten-klodder-oorlogsbroek. Hij zucht en zet dan de schaar erin. Dit is de enige broek die in aanmerking komt. Als Thomas een echte zombie wil lijken, moeten de flarden eraan hangen. Ook zijn blouse wordt gescheurd, maar daar heeft hij minder twijfels over – dat stijve ding hoeft hij gelukkig nooit meer aan als ze naar oma gaan.

Vannacht kwam een nieuwe versie van de klassenavond in zijn dromen. Hij en Taleesa kwamen binnen, ze waren laat omdat Taleesa niet kon kiezen wat ze zou aantrekken. Iedereen was er al. Eerst was het fijn, want ze leken wel de koning en koningin, zoveel ogen waren op hen gericht. Maar toen begon Marwin heel hard te lachen, en Ray en Aram, Ilse en Lisa en Mohammed en Sander en... ook Taleesa begon te lachen. Zelfs meester Wilbert kreeg een grijns niet van zijn gezicht.

'Die Thomas,' lachte Marwin. 'Die denkt dat Taleesa écht zijn vriendinnetje is, haha!' De kinderen gierden het uit. Taleesa keek naar Thomas alsof hij poep was en zei: 'Alsof ik ooit met jou zou willen, sukkel!' Ze liep van hem weg, recht in de armen van Marwin.

Klopklopklop. 'Thomas?'

Meneer Misha komt zijn kamertje in en gaat luid zuchtend zitten op Thomas' bed. 'Jongen, dit gaat zo niet langer.' Thomas trekt zijn wenkbrauwen op – moet dit nu?!

'Gisteren was je weer zo laat thuis en mama maakt zich zorgen. We hadden afgesproken dat je voortaan zou bellen als je later kwam. Bovendien heb je mijn auto niet gewassen, terwijl je had gezegd dat je dat elke twee weken zou doen. Als je zulk onverantwoordelijk gedrag blijft vertonen, dan moesten we je maar geen zakgeld meer geven. We kijken het nog een week aan.'

Papa staat op en gaat weg.

Thomas kijkt hem met nog altijd opgetrokken wenkbrauwen na – hij zei niet eens iets van de zombie-kleding!

Verantwoordelijkheid, pfffft! De afspraken die 'we' hebben gemaakt, dat zijn gewoon regels die papa afspraken noemt. Dat is heel iets anders! Thomas had gisteren een afspraak met Taleesa, ja, en daar heeft hij zich keurig aan gehouden!

'Thomas? Thomas?' De stem van zijn moeder, ze doet zijn kamerdeur open.

'Oma is weer eens gevallen, schat. Het schijnt dit keer erg te zijn, ze moet even naar het ziekenhuis voor controle. Ik ga met haar mee, bel je me als er iets is?' Ze geeft Thomas een kus, maar draait zich nog om, vlak voordat ze weggaat. Ze fronst haar wenkbrauwen. 'Doe je écht die broek aan?!' Dan trekt ze de deur dicht.

Thomas kijkt ongelovig naar de dichte deur. Alsof ze niet wist dat hij vanavond als zombie zou gaan!

Hij denkt aan oma. Ze is weer eens gevallen, de onhandige! Binnenkort zal hij haar vertellen dat hij verkering heeft, dat zal ze fantastisch vinden. Maar eerst moet vanavond nog blijken hoe serieus de verkering is.

Taleesa gaf hem een kus op zijn wang toen hij haar ophaalde, maar nu gaan ze bijna de klas in. Hoe zal iedereen reageren? Wat gaat er gebeuren? Hij voelt de zenuwen in zijn knieën.

Buiten op het schoolplein hoor je de muziek al dreunen.

Taleesa en Thomas glimlachen naar elkaar en even lijkt het of hij charmant zijn arm om haar heen legt, maar eigenlijk moet hij zich gewoon vasthouden om niet door zijn benen te zakken. Die lach van Taleesa...

Ze is als dolende geest gekomen en ziet er prachtig uit. Een spierwitte broek en een hagelwit T-shirt, allebei met flarden eraan. Om een dood gezicht te maken, heeft ze blauwe oogschaduw rond haar ogen gesmeerd, dat ziet er geweldig uit. Thomas heeft bloed aan zijn lippen hangen – dat heeft Taleesa er met een lippenstift opgedaan.

In de schoolgangen hingen lampionnen met gekleurde lampjes erin. Hartstikke leuk, heel romantisch en toch geschikt om de weg naar 'de danskerker' te wijzen, zoals hun lokaal vanavond heet.

Meester Wilbert staat bij de ingang. Uit zijn mondhoeken steken vampierstanden, de zwarte cape om zijn schouders geeft hem best een griezelige uitstraling. 'Wélkóóóm,' zegt hij met zijn allerlaagste doodsstem, 'in de dansssskerkerrr.' Hij zwaait zijn armen dreigend heen en weer waardoor zijn cape langs zijn rug ritselt, maar Thomas en Taleesa giechelen: door die tandjes slist hij verschrikkelijk. Hij zegt 'danfkerker' in plaats van 'danskerker'.

Het maakt de meester niks uit dat hij wordt uitgelachen, welnee, hij kijkt hen met grote ogen aan – maar daar wordt hij niet bepaald enger van. Lachend stapt Thomas de klas in.

'Daar is-ie dan,' zegt Marwin. 'Eindelijk!'

Een schok gaat door Thomas' lijf, gelukkig staat Taleesa nog vriendinnen te begroeten bij meester Wilbert. Marwin komt wijdbeens voor hem staan.

Thomas kijkt hem aan. In zijn ogen. Marwin kijkt terug. De pestkop die hem het leven zuur maakt... Waarom doet hij dat eigenlijk? Hij kijkt boos, deze jongen, of is het onzeker? Vraagt hij zich af waarom Thomas nu eens niet ineenkrimpt? Zijn ogen niet neerslaat?

Eerlijk gezegd vraagt Thomas zich wél af waarom hij dit niet doet, waarom hij zijn bullebak blijft aankijken. Hij wil graag wegrennen, ineenkrimpen of desnoods gewillig een tutu aantrekken. Maar op de een of andere manier lukt dat niet meer. Hij kijkt maar naar die jongen die altijd zo groot leek, zo sterk en snel, de jongen die nu zoveel kleiner lijkt te zijn.

Marwin knippert met zijn ogen. Goh, dat hij dat doet...

Die jongen knippert en wilde verkering...

Marwin is maar... *gewoon*.

Zo staan ze midden in de klas. Niemand kijkt naar hen, behalve misschien meester Wilbert en Ray en Aram. Alle andere kinderen lachen om elkaars verkleedkleren of proberen de anderen bang te maken. Een enkeling danst al op de muziek, sommigen gillen omdat ze zichzelf bang hebben gemaakt. Maar dat gaat aan Thomas voorbij, aan Marwin waarschijnlijk ook.

Lange tijd heeft Thomas gedacht dat Marwin nou eenmaal leuker, brutaler, knapper en spannender was dan hij, dat hij daarom het recht had om Thomas af te zeiken. Maar nu ziet Thomas twee gewone ogen van een jongen die óók verkering met Taleesa wilde. Maar het niet kreeg.

'Jij bent...' fluistert Thomas.

Opnieuw knippert Marwin met zijn ogen. Een haarlok valt langs zijn gezicht.

'...helemaal niet zo groot.'

Marwin zet geen stap en zegt geen woord.

Thomas fronst zijn wenkbrauwen. Marwin knikt, het is haast onzichtbaar, maar Thomas ziet het duidelijk. Oei, wat ziet hij scherp op dit moment.

‘Taleesa... is mijn vriendin.’

Marwin laat zijn schouders zakken.

‘Thomas?’ vraagt Taleesa. ‘Wil je cola of sinas?’

Thomas beweegt niet met zijn hoofd, maar toch hoort hij haar, zijn vriendin. Je kunt het nauwelijks aan hem zien, maar het is duidelijk zichtbaar voor wie naar hem kijkt: hij denkt niet meer aan Marwin, hij denkt aan Taleesa. Zijn nieuwe, leuke, toffe, sterke, vrolijke vriendin.

Zo simpel ging het. Niet met een gevecht, niet met kabaal. Maar met kijken naar de angst en onzekerheden van de ander. Naar de kracht en goede eigenschappen van jezelf. Er was niet veel te zien geweest – het was velen zelfs ontgaan – maar toch was er gigantisch veel gebeurd.

Misschien had Marwin vanavond nog een slechte grap in petto, het maakte niet meer uit. Thomas wachtte er niet op en stelde zich er geen vragen over. Thomas glimlachte, zomaar, hij lachte zijn tanden bloot en liet zich door Taleesa meenemen naar haar vriendengroepje. Hij ontmoette de andere kinderen uit zijn klas. Cindy en Mare, die al die maanden achter hem hadden gezeten. Koen en Beer, twee jongens die nota bene bij hem in de wijk woonden. Hij had ze niet eerder gesproken. Hij had ze niet eerder gezien.

15 *Ze heeft snoep gestolen, en op bruggen gedanst*

De avond verloopt bijna onwerkelijk kalm, terwijl er toch zoveel gaande is. Koen en Beer blijken ook game-fanaten te zijn, ze hebben in de *walkthrough* van *NimfoBattle* gelezen dat je boven op de spin moet springen, en dat-ie dan doodgaat. Daarna kan je de zombies van je afschieten en rustig over de muur klimmen. Thomas is blij dat hij eindelijk weet hoe hij verder kan.

Voor de allereerste keer in zijn leven heeft hij met een meisje gedanst. Nou ja, behalve met zijn nichtje dan, maar die telt niet. Hij dacht niet dat hij het kon, maar hij hoefde nauwelijks iets te doen. Taleesa houdt van dansen en sprong soepel op de muziek, Thomas ging vanzelf bewegen als hij naar haar keek.

Steeds als Thomas naar de donkere hoek van de danskerker kijkt, krullen zijn lippen. Hij had er nooit bij stilgestaan dat er méér kinderen aan het voordeel van een donkere hoek hadden gedacht. Als hij had gewild, had hij er nooit bij gekund: Lisa en Adnan staan er de hele tijd te smoezen en te lachen.

Hij heeft geen donkere hoek meer nodig, hij hoeft niet meer stiekem verkering te vragen of iets anders te doen. Nooit meer. Voortaan doet hij gewoon wat in hem opkomt, en iedereen mag het zien, wat kan hem het schelen.

Zo groeit in één avond het zelfvertrouwen van Thomas Misha. Het blijft kalm om hem heen, haast té kalm. Zal Marwin niks proberen?

Als zijn mobiel gaat, is het bijna een opluchting: gelukkig wil Marwin hem toch nog een laatste streek leveren.

'Lieverd, dit is mama,' klinkt haar stem. 'Niet schrikken,

schat, je moet naar het ziekenhuis komen. Oma moest geopereerd, maar het is mislukt. Haast je, lieverd. We zijn op de derde verdieping.' Dan hangt ze op.

Al voordat Thomas de telefoon in zijn zak kan steken, schieten zijn ogen vol.

'Wat is er?' vraagt Taleesa.

Thomas bijt op zijn lip. 'Mijn oma...'

'Van de snoepwinkel?'

Thomas knikt.

'Ik ga met je mee.' Taleesa pakt hem bij zijn arm.

'Ze heeft snoep gestolen, en op bruggen gedanst.' In de taxi probeert Thomas uit te leggen wat zijn oma voor hem betekent. 'Als ze vertelt, dan duizelt de kamer in je hoofd, het tapijt wordt een bromtol. Ze heeft de oorlog meegemaakt, maar ze valt de hele tijd.'

Het geld van mama komt nu goed van pas. Thomas was in de war en wist niet goed hoe ze het snelst bij het Bromberger Ziekenhuis moesten komen. Gelukkig had Taleesa al een taxi aangehouden.

'Is je oma ziek?' vraagt de chauffeur.

'Gevallen.' Taleesa houdt Thomas' hand vast.

De man knikt. 'Als je oud bent, kun je lelijk terechtkomen,' zegt hij.

'Hier zijn de liften.' Taleesa heeft al op de knop gedrukt. Het ziet er gek uit, een zombie en een dolende geest in het ziekenhuis, maar Thomas en Taleesa hebben niet in de gaten hoe ze worden nagekeken.

Op de derde verdieping ziet Thomas zijn moeder op de gang. 'Eindelijk,' zegt ze. 'Ga maar gauw, jongen, het lijkt steeds slechter te worden.'

‘Daar is mijn lieve schat.’ Oma Sophie glimlacht. Wat lijkt ze klein in dat enorme ziekenhuisbed. Haar haren lijken slapper en grijzer en dunner dan normaal. Haar wangen zijn rimpelig, Thomas kan zich niet herinneren dat oma Sophie de laatste tijd zoveel rimpels had. Ze ademt zwaar.

‘Ik wist dat het mis kon gaan. Als ik nog eens zou vallen. Het geeft niet, ik vind het niet erg, hoor je.’

De kamer wordt troebel, arme Thomas kan zijn oma door zijn tranen nauwelijks zien.

‘Je bent gewoon gevallen!!’

‘Mijn botten zijn broos, schat, mijn huid is dun. Alles is kwetsbaar, mijn maag en milt.’ Ze glimlacht weer.

Papa fluistert. ‘Ze heeft inwendige bloedingen.’ Hij kucht. ‘Van de artsen mogen we bij haar blijven. Vorig jaar is het wel gelukt, toen was ze ook bijna overleden.’

Thomas trekt zijn wenkbrauwen op? Vorig jaar? Hij weet nog dat hij mee moest, maar hij vond er geen bal aan in het ziekenhuis.

Oma zegt: ‘Soms kun je niet zien hoe erg iets is. Het is onzichtbaar als de wind, maar het kan een keerpunt in je leven zijn.’

Thomas ijsbeert langs het bed. Waar dan, waar dan? Hij ziet geen bloed, geen uitstekende botten, geen gapende wonden. Alleen blauwe plekken en een paar schrammen.

‘Mijn darmen zijn geperforeerd, zeggen ze, vocht in mijn longen. Ach, wat allemaal nog meer…’

‘Ze wilde iets uit het keukenkastje pakken,’ zegt mama tegen Thomas. ‘Ze is van de kruk gegleden en boven op de koelkastdeur terechtgekomen. Die stond open – God weet waarom. Zo is ze op de grond gekletterd.’

Shit, denkt Thomas. De vorige keer dat hij er was, had oma

ook vergeten die deur dicht te doen.

'Een zware pan viel op haar buik,' fluistert mama in zijn oor.

Waarschijnlijk die loodzware pan van gietijzer – waarvan hij nog dacht dat er schimmel in zat. Die rotkoelkast stond ook zo gammel op de vloer!

Zijn ogen zitten vol tranen, Thomas kan niet zien dat ook papa en mama huilen.

'Is dit je vriendin?'

Taleesa glimlacht lief, Thomas knikt. Papa en mama snuiten hun neus en kijken hen verdrietig-verbaasd aan.

'Gelukkig, meissie, dat ik je nog zie. Gelukkig, Thomas, dat ik je verkering zie. Hoe vaak heb ik niet gezegd dat je vast gemakkelijk vriendinnen zou krijgen? Je was meteen al mooi, zo mooi...'

– 1993 –

Stinkende luiers en huilende moeders

Mama Marieke aait met haar wijsvinger langs zijn neusje, over zijn wangen. Die zijn zo zacht, dat ze de huid haast niet voelt.

'Blijf jij maar lekker liggen, lieverd,' zegt oma Sophie. Voorzichtig pakt ze de baby op. 'Dat doe ik wel.'

'Wat is hij mooi, hè mama?'

'Net zo mooi als jij was, lieverd.'

'Weet je nog hoe het moet?'

'Wat denk je!' Oma Sophie legt de kleine baby op een commode – een tafel met een plastic kussen erop. Ze trekt het minibroekje van zijn kleine beentjes en haalt de plakkertjes los. 'Hij ruikt gezond,' knikt oma.

Mama Marieke glimlacht loom. 'We hebben overwogen hem Willem te noemen, maar het is toch Thomas geworden.'

'Thomas is een prachtige naam, schat.'

'De zalf staat daar ergens.'

'Ik zie 'm.'

'Mama, wat is er?'

'Niets, schat.' Oma Sophie veegt haar pols langs haar gezicht.

'Mama, huil je?'

'Hij is zo mooi, ik vind het allemaal zo mooi.'

'Als jij begint, hou ik het ook niet meer, hoor.'

'Hier is hij al, heb ik het niet goed gedaan?'

'Perfect, mam.'

'Jij ook, schat. Je hebt het fantastisch goed gedaan.' Oma Sophie legt haar armen om Marieke heen. Ze omhelzen elkaar stevig. 'En Thomas is een prachtige naam.'

Een traan rolt uit oma's ooghoek. Ze sluit haar ogen. 'Willem,' fluistert ze. 'Waar is mijn lieve Willem?'

Mama kruipt in papa's armen, ze snuit opnieuw haar neus.

'Willem...' Oma huilt.

Taleesa wordt er bleek van, ze kijkt met open mond naar Thomas' oma.

'Sophie,' fluistert Thomas dan. 'Hij is hier wel, hoor.'

Papa en mama kijken hem aan, te verdrietig om iets te zeggen.

Thomas pakt Sophies hand. 'Denk aan vroeger, toen hij je kwam halen bij mama Nienke.'

Oma luistert met open mond.

'Weet je nog hoe hij op de brugrand sprong? Hij riep dat iedereen plaats voor je moest maken, voor het mooiste meisje van Bromberg. Hij danste met je, weet je nog?'

'Ja...' Oma maakt nauwelijks geluid. 'Hij hield van dansen.'

'Je had je gele nieuwe jurk aan.'

'Zelf gemaakt.'

'Je zag er prachtig uit.'

Oma sluit haar ogen om de herinnering te kunnen zien. Ze glimlacht.

'Hij hield van gekke dingen, en hij hield van jou.'

'Ja.'

'Weet je nog wat hij zong?'

'Mmm,' doet oma. En Thomas neuriet met haar mee. De langzame wals die Willem en Sophie dansten op de brug van Bromberg, hopeloos verliefd.

Steeds zachter zingt oma, ook Thomas neuriet zacht. Ze glimlacht. Ze zucht. Ze ademt... niet meer in.

16 *Het verhaal gaat dóór...*

Uit de machine hebben ze plastic bekertjes koffie gehaald. Papa heeft de ouders van Taleesa gebeld, die zijn haar komen halen. Thomas is achtergebleven met zijn vader en moeder.

Mama heeft een wc-rol uit de toiletten gepakt en gebruikt vel na vel voor haar tranen of haar neus. Papa is stil, hij ziet er aangeslagen uit, Thomas heeft hem nooit zo klein zien zijn.

'Ze was zo lief,' zegt mama. 'We mochten altijd koekjes en vriendjes meenemen.'

Papa legt zijn arm om haar heen, mama schokt met haar schouders.

'Jij vond haar ook meteen lief, ja toch, ze was altijd zo aardig.'

Papa kucht. 'Ja,' zegt hij. 'Weet je nog wat ze zei toen ze me zag?'

Mama knikt liefjes.

Thomas kijkt haar aan. In haar ogen. Hij wacht tot mama begint te vertellen...

– 1985 –

Het vriendje wordt gekeurd

'Sophie deed de deur open en zei: "Wat een mooie rechte neus heb jij, knul!" Ze liep voor je uit naar de woonkamer waar ik zenuwachtig zat te wachten. Het was de eerste keer dat mijn ouders een vriendje van mij zagen.

“Willem! Kijk even of je deze goedkeurt,” zei Sophie. En papa Willem stond op, hij zei: “Trek je scheur maar open, jong, dan controleer ik je gebit.”

“Zijn neus is goedgekeurd, hoor,” zei mama Sophie lachend.

Het tapijt was nieuw gelegd, daar waren ze supertrots op. Al die kleuren, helemaal hip! En jij moest je schoenen uitdoen, haha!’

Papa lacht naar mama, hij geeft haar een klein kusje op haar snotterige rode neus.

Thomas kijkt hen vrolijk aan, met opgetrokken wenkbrauwen. Ineens ziet hij niet alleen zijn vader en moeder, maar ziet hij ook Bas en Marieke. Twee mensen die ooit kind waren en nog steeds jong zijn, die verliefd werden en toen zelf een kindje kregen.

Ze hebben het al een beetje, dat zal nog meer worden, vele malen meer, zodat de kinderen van Thomas er later naar kunnen luisteren: geschiedenis. En later, als Thomas groot is, heeft hij het ook.

‘Dus jullie zijn even oud geweest als ik...’ zegt hij langzaam, met een glimlach.

Mama kijkt hem aan. Papa ook. Ze zien elkaar. Thomas haalt diep adem en zegt...

– 2004 –

Zo begint het verhaal van Thomas

Toen ik mijn vriendinnetje voor het eerst buiten schooltijd zag, probeerde mijn moeder me als een klein kind te kietelen...

Mama kijkt hem met waterige ogen aan. 'Was dat wat er gebeurde een paar weken geleden, toen we zo boos op je werden? Stond Taleesa buiten terwijl ik je als een klein kind behandelde? Dat had ik zelf vreselijk gevonden op jouw leeftijd, wat erg!'

'Ik schaamde me rot!'

Papa roept: 'Toen heb ik je nog wel straf gegeven...'

'Wat erg!' herhaalt mama. Ze lacht, Thomas ook, en papa ook.

Zo zitten ze: Thomas, Bas, Marieke. Met hun eigen geschiedenis. Ze praten met elkaar, ze huilen, en lachen met elkaar.

Men zegt dat iemand die net dood is, nog een paar dagen rondwaart om zijn of haar geliefden te kunnen zien. Oma zou daarmee zeer tevreden zijn geweest.